Bentzel-Sternau, Christ

Gemmen : Taschenbuch für Schillers Freunde auf das Jahr 1808

Bentzel-Sternau, Christian Ernst von

Gemmen : Taschenbuch für Schillers Freunde auf das Jahr 1808

Inktank publishing, 2018

www.inktank-publishing.com

ISBN/EAN: 9783750130661

Gemmen

Taschenbuch

für

Schillers Freunde

auf das Jahr

1808.

Vom dem Verfasser des goldnen Kalbes.

Carlsruhe.
In Macklots Hofbuchhandlung.

191

Zeitrechnung für das Jahr
1 8 0 8.

Septuagesima den 14. Febr. Aschermittwoch den
2. März, Ostern den 17. April. Christi Him-
melfahr den 26. May. Pfingsten den 5. Juni.
Trinitatisfest den 12. Juni. Fronleichnamstag den
16. Juni. Erster Advents-Sontag den 27. Nov.
Zahl der Sonntage nach Pfingsten 24. Zahl der
Sonntage nach Trinitatis 23. Quatember: den 9.
März, den 8 Juny, den 21. Sept., den 14 Dez.
Die goldne Zahl, 4. Die Epakten oder Mondszei-
ger, III. Der Sonnenzirkel, 25. Der Sonntags-
buchstabe CB. Der Römer Zins-Zahl, 11. Zwischen Weihnachten und Fasten sind 9 Wochen 6 Tage.

Die vier Jahrszeiten.

Der Frühling beginnt den 20. März Abends
6 Uhr 27 Minuten, im Zeichen des Widders.
Der Sommer — den 21. Juni Abends 4 Uhr,
im Zeichen des Krebses.

Der Herbst — den 23. September Morgens 6 Uhr 30 Min., im Zeichen der Wage.

Der Winter — den 21. December Nachts 11 Uhr 20 Min., im Zeichen des Steinboks.

_____

Sonnen= und Monds=Finsternisse.

In dem Jahr 1808 ereignen sich sechs Finsternisse — vier an der Sonne, und zwei am Mond. Von einer Monds=Finsterniß werden wir kaum den Anfang, von den übrigen fünf Verfinsterungen aber gar nichts sehn

1) Eine unsichtbare kleine Sonnen = Finsterniß den 20ten April Abends.

2) Eine totale unsichtbare Monds=Finsterniß den 20ten Mai Morgens nach Monds=Untergang.

3) Eine unsichtbare kleine Sonnen Finsterniß den 25ten Mai Mittags.

4) Eine kleine unsichtbare Sonnen=Finsterniß den 3. Novembr um 6 Uhr 59 Min. Morgens; ihr Anfang kann bey uns nur etwa 8 Min. lang beobachtet werden

6) Eine unsichtbare kleine Sonnen=Finsterniß den 18. Rovember, Morgens.

An
Schillers Genius.

Ja! du kehrtest heim — doch alles Schöne,
Alles Hohe nahmst du nicht mit fort;
Deine Farben, deine Lebenstöne
Blieben uns und dein beseltes Wort.
Aus der Zeitflut weggerissen schweben
Sie verewigt auf des Pindus Höh'n;
Was unsterblich im Gesang wird leben,
Darf im Leben untergehn.

1 freitag	Neujahr	
2 samstag	Macarius	

Der kleine Altar. Seite 154.

3 Sontag	S. n. Neuj.	Erstes Viert. den
4 montag	Titus B.	5 um 9 Uhr 23
5 dienstag	Telesphor. ☽	minuten Nachts.
6 mittwoch	H. 3 König	
7 bonnerstag	Lucianus	
8 freitag	Erhard, B.	Vollmond den 13
9 samstag	Julianus	um 3 Uhr 59 mi-
		nuten Abends.

Anfrage. S. 172.

10 Sontag	1 Epiph.	
11 montag	Higynus	Lezt. Viert. den
12 dienstag	Ernesius	20 um 3 Uhr 36
13 mittw.	Hilarius ◑	minuten Vorm.
14 bonnerstag	Felix M.	
15 freitag	Maurus	
17 samstag	Marzellus	Neum. den 27.
		um 4 Uhr 38 mi-

Der Augur. S. 90.

17 Sonnt.	2 Epiph. NJF.	nuten Abends.
18 montag	Prisca	
19 dienstag	Martha	
20 mittw.	Fab. S. ☾	
21 bonnerst.	Agnes J.	
22 freitag	Vincenz	
23 samstag	M. Verm.	Sonnen-Aufg.
		den 3. 7 u. 56 m.

Die Bahn des Lichts. S. 1.

24 Sonnt.	3 Epiph.	= 10. 7 = 50 =
25 montag	Pauli Bek.	= 17. 7 = 43 =
26 dienstag	Polykarpus	= 24. 7 = 26 =
27 mittw.	Joh. Christ ◐	= 31. 7 = 24 =
28 bonnst.	Karolus	Sonnen-Unterg.
29 freitag	Franzisc. S.	den 3. 4 u. 4 m.
30 samstag	Martina	= 10. 4 = 10 =
		= 17. 4 = 17 =

Bellerofons Sturz. S. 220.

31 Sonnt.	4 Epiph.	= 24. 4 = 24 =
		= 31. 4 = 36 =

Februar.

1 montag	Ign. R. M.	Erst. Vrtl. d. 4. 6
2 dienstag	Mar. E.	u. 59 m. Abends.
3 mittw.	Blasius	Vollm. d. 12. 4 u.
4 donnerst. '	Veronika ☽	23 m. Morgens.
5 freitag	Agatha	Lezt. Vrtl. d. 18.
6 samstag	Dorothea	8 u. 17 m. Abends.
Bileams Roß. S. 39.		Neumond den 26.
7 Sonnt.	5 Epiph.	um 9 u. 10 min.
8 montag	Joh. d. M.	Vormittags.
9, dienstag	Apollonia	
10 mittw.	Scholastica	
11 donnst.	Euphrosima	Sonnen=Aufg.
12 freitag	Eulalia ☉	den 7. 7 u. 13 m.
13 samstag	Kastorus	= 14. 7 = 2 =
Bundestraft. S. 203.		= 21. 6 = 50 =
14 Sonnt.	Septuag.	= 28. 6 = 37 =
15 montag	Faustines	Sonnen=Unterg=
16 dienstag	Juliana	den 7. 4 u. 47 m.
17 mittw.	Donatus	= 14. 4 = 58 =
18 donnst.	Sim. B. ☾	= 21. 5 = 10 =
19 freitag	Conrad	= 28. 5 = 23 =
20 samstag	Eleuther	Jene 5 Stunden
Dämmerschein. S. 115.		48 Min. u. 48 Se=
21 Sonnt.	Sexags.	kunden, um wel=
22 montag	Petri Stuhlf.	che ein astronom.
23 dienstag	Gerhard.	Jahr größer ist
24 mittw.	Schalttag	als ein bürgerli=
25 donnst.	Mathias A.	ches, sind seit
26. freitag	Nestorius ☉	dem Jahr 1804
27 samstag	Justus	wieder zu einem
Das schöne Dasein. S. 144.		Tag angewach=
28 Sonnt.	Quing.	sen, der den
29 montag	Cäsarius	Schalt=Tag aus=
		macht.

1 dienstag	Fasincht	
2 mittw.	Ascherm.	
3 donnst.	Kunigund	
4 freitag	Casimir	
5 samstag	Friedrich ☽	

Des Dichters Kabinet. S. 50.		Erst. Vrtl. den 5.
6 Sonnt.	1 Invoc.	2 u. 24 m. Nachm.
7 montag	Thom. v. Aq.	Vollm. den 12. 2
8 dienstag	Joh. d. G.	u. 48 m. Nachm.
9 mittw.	Quatemb.	Lezt. Vrtl. d. 19.
10 donnerst.	40 Martyr,	um 6 u. 21 m. M
11 freitag	Rosina	Neum. den 27ten
12 samstag	Gregor	um 2 u. 40 min.

Duldungsquell. S. 62.		Morgens.
13 Sonnt.	2 Remin.	
14 montag	Mathilde	
15 dienstag	Longinus	
16 mittw.	Heribert	
17 donnst.	Gertrudis	
18 freitag	Anselm, A.	
19 samstag	Joseph ☾	

Einzel = Pfad. S. 231.		
20 Sonnt.	3. Okuli	
21 montag	Benedict	
22 dienstag	Octavian	
23 mittw.	Otto, B.	Sonnen=Aufg.
24 donnst.	Gabriel	den 6. 6 u. 27 m.
25 freitag	Mar.Werk.	= 23. 6 = 13 =
26 samstag	Kastulus	= 20. 6 = 1 =

Der weite Flug. S. 185.		= 27. 5 = 48 =
27 Sonnt.	4 Lätare ●	Sonnen = Unterg.
28 montag	Sixtus P.	den 6. 5. u. 33 =
29 dienstag	Eustachius	= 13. 5 = 47 =
30 mittw.	QuirGuido	= 20. 6 = 0 =
31 donnst.	Balbina	= 27. 6 = 12 =

April.

1 freitag	Hugo B.	
2 samstag	Franz. v. P.	

Sichere Freistätte. S. 174.

3 Sonnt.	5 Judica	
4 montag	Ambrosius ☽	Erst. Vrtl. den 4.
5 dienstag	Vincentus	um 5 u. 58 m. M.
6 mittw.	Celsus	Voll d. 10. um 11
7 donnst.	Saturnin	u. 56 m. Nachts.
8 freitag	7 S ☉ m. M.	Lezt. Vrtl. d. 17.
9 samstag	Maria Cleop.	6 u. 5. m. Abends.

Der Friedensheld. S. 169.

Neumond d. 15. um 7 u. 57 min. Abends.

10 Sonnt.	Pafm s. ☉	
11 montag	Leo L P.	
12 dienstag	Julius, P.	
13 mittw.	Ruderikus	
14 donnst.	Gründ.	
15 freitag	Charf.	
16 samstag	Paternus	

Gaben. S. 76.

17 Sonnt.	Osterfest ☾	
18 montag	Osterm.	
19 dienstag	Hermogen	
20 mittw.	Sulpit.	
21 donnst.	Anselm, P.	Sonnen-Aufg.
22 freitag	Kajus, P.	den 3. 5 u. 53 m.
23 samstag	Georgius	= 10. 5 = 23 =

Gastfreiheit. S. 188

24 Sonnt.	1. Quas.	= 17. 5 = 11 =
25 montag	Marcus ●	= 14. 2 = 56 =
26 dienstag	Cletus	
27 mittw.	Zitha, J.	Sonnen = Unterg.
28 donnst.	Vitalis	= 3. 6 = 25 =
29 freitag	Petr. Mart.	= 10. 6 = 37 =
30 samstag	Cath. v. S.	= 17. 6 = 49 =
		= 24. 7 = 1 =

12

Mah.

Die Geburt des Harpokrates. S. 109.		
1 Sonnt.	2S Mi s.Dom.	
2 montag	Athanas.	
3 dienstag	†Erfindung ☽	
4 mittw.	4 Florian	
5 donnst.	Pius V., ♅	
6 freitag	Joh. v. ♅	Erst. Vrtl. d. 3.
7 samstag	Stanislaus	um 5 u. 13. m. M.
Die Gegner. S. 25.		Vollm. d. 10. 8 u.
8 Sonnt.	3Jubil.	9 m. Morg. Lezt.
9 montag	Beatus	Vrtl. d. 17.7. u.
10 dienstag	Anton. B. ●	2S minut. Morg.
11 mittw.	Mamert.	Neum. d. 25 um
12 donnst.	Pankratius	11 u.48 m.Vorm.
13 freitag	Servat.	
14 samstfi	Bonifacius	
Des Genius Tod. S. 156		
15 Sonnt.	4Cantate	
16 montag	Joh. Nep.	
17 dienstag	Torpet ☾	
1S mittw.	Felix	
19 donnst.	Petr. Cöl.	
20 freitag	Bernhardus	
21 samstag	Constantin	
Die acht Gesellen. S. 7S.		Sonnen-Aurg.
22 Sonnt.	5 Rogate	den 1.4 u. 48 m.
23 montag	Desiderius	= 8. 4 = 37 =
24 dienstag	Johanna	= 15. 4 = 26 =
25 mittw.	Urban ●	= 22.4 = 19 =
26 donnst.	Himmelf.C.	= 29.4 = 12 =
27 freitag	Joh. Paul.	Sonnen = Unterg.
28 samstag	Wilhelm	den 1.7 u. 12 m.
Innere Glorie. S. 223.		= 8. 7 = 23 =
29 Sonnt.	6Exaudi	= 15. 7 = 34 =
30 montag	Ferdinand	= 22. 7 = 41 =
31 dienstag	Crescentia	= 29. 7 = 48 =

13

1 mittw.	Fortunatus	
2 donnst.	Erasmus ☽	
3 freitag	Clotildis	
4 samstag	Quirinus	

Götterbekenntniffe. S. 152.		Erst. Vrtl. den 2.
5 Sonnt.	Pfingstfest	um 12 u. 52 m.
6 montag	Pfingstm.	Morg. Vollm. d.
7 dienstag	Sebastian	8. um 4 u. 3 min.
8 mittw.	Quatemb. ●	Abends. Lezt. V.
9 donnst.	Felician	15. 10 u. 37. m.
10 freitag	Marg. K.	Abends. Neum. d.
11 samstag	Barnabas.	24. um 1 u. 25
		min. Morgens.

Der Grazienpriefter. S. 233.	
12 Sonnt.	H. Dreyf.
13 montag	Anton v. P.
14 dienstag	Bafilius
15 mittw.	Vitus ☾
16 donnst.	Fronleichn.
17 freitag	Adolf
18 samstag	Mart. Leont.

Geubte Hand S. 200.	
19 Sonnt.	2 n. Pfing.
20 montag	Sylverius
21 dienstag	Aloyfius
22 mittw.	Paulinus
23 donnst.	Eviltrudis
24 freitag	HJF. J. ●
25 samstag	Profper

Der Handschuh. S. 54.		Sonnen-Aufg.
26 Sonnt.	3 n. Pfng.	den 5. 4 u. 6. m.
27 montag	7 Schläfer	= 12. 4 = 3. =
28 dienstag	Leo I.	=. 19. 4 = 0 =
29 mittw.	Petr. Pauli	= 26. 4 = 1 =
30 donnst.	Pauli Ged.	Sonnen = Unterg.
		den 3. 7 = 57 m.
		12. 7 u. 57 =
		= 19. 8 = c =
		= 26. 7 = 59 =

14

Juln.

1 freitag	Theodor	
2 samstag	Mar. Heimf.	

Der heilige Heerd. S. 10.

3 Sonnt.	4 n. Pfing.	Erst. Vrtl. d. 1.
4 montag	Udalrikus	6 u. 15 m. Morg.
5 dienstag	Elis. v. P.	Vollm. d. 8. 12 u.
6 mittw.	Isaias, Pr.	32 min. Nachts.
7 donnst.	Petrus Forr.	Lezt. Vrtl. d. 15.
8 freitag	Kilian ☉	3 u. 21 m. Nach=
9 samstag	Cyrillus	mitt. Neum. den
		23. 12 u. 46 min.

Heldenfall. S. 5.

Nachmitt. Ersten

10 Sonnt.	5 n. Pfing.	Vrtl. d. 30. 10 s.
11 montag	Pius I. P.	49 m. Vormit.
12 dienstag	Joh. Gaulb.	
13 mittw.	Anacletus	
14 donnst.	Heinrich	
15 freitag	Apost. Th. ☾	
16 samstag	Hilarius	

Helden = Orakel. S. 214.

17 Sonnt.	Scap. Fest.
18 montag	Frieder. Ur.
19 dienstag	Arsenius
20 mittw.	Margaretha
21 donnst.	Anselm
22 freitag	Mer. Magd.
23 samstag	Liborius ☉

Das unverstandne Herz. S. 104.

24 Sonnt.	7 n. Pfing.	Sonnen = Aufg.
25 montag	Jakob. Chr.	den 3. 4 u. 3 m.
26 dienstag	Anna, M. M.	= 10. 4 = 8 =
27 mittw.	Hieronymus	= 17. 4 = 13 =
28 donnst.	Innocent.	= 24. 4 = 21 =
29 freitag	Martha	= 31. 4 = 29 =
30 samstag	Abdon	Sonnen = Unterg.

Heitere Höhen. S. 32.

31 Sonnt.	8 n. Pfing.	den 3. 7 u. 57 m.
		= 10. 7 = 51 =
		= 17. 7 = 47 =
		= 24. 7 = 39 =
		= 31. 7 = 31 =

August

1 montag	Petr. Kttf.	
2 dienstag	Porttunk.	
3 mittw.	Frep. E.	
4 donnst.	Dominikus	
5 freitag	Mar.Schn.	
6 samstag	Verk. Chr.	Vollm. d. 6. um 10 u.34 min.Vor= mitt. Lezt. Vrtl.
Jahre und Kraft. S. 194.		d. 14. um 9 u. 9
7 Sonnt.	9 n.Pfing.	min. Morg. Neu=
8 montag	Cyriakus	mond d. 21. 10 u.
9 dienstag	Roman	39 min. Abends.
10 mittw.	Laurentius	Erst. Vrtl. d. 28.4.
11 donnst.	Susanna	u. 8 m. Abends.
12 freitag	Clara	
13 samstag	Hippolitus	
Kritiker=Weisheit. S. 111.		
14 Sonnt.	10 n.Pfing. ☾	
15 montag	Mar. Him.	
16 dienstag	Rochus	
17 mittw.	Liborius, B.	
18 donnst.	Helena	
19 freitag	Sebaldus	
20 samstag	Bernhard	
Kunstweine. S. 130.		
21 Sonnt.	11 n. Pfing. ●	
22 montag	Simphor	
23 dienstag	Zachäus	Sonnen=Aufg.
24 mittw.	Bartholom.	den 7. 4 u. 46 m.
25 donnst.	Ludwig	= 14. 4 = 50 =
26 freitag	Ruffus	= 21. 5 = 2 =
27 samstag	Jofeph,Cal.	= 28. 5 = 14 =
Lezter Lazetrunk. S. 56.		Sonnen = Unterg.
28 Sonnt.	12 n.Pfing.	den 7. 7 u. 20 m.
29 montag	Joh. Enth.	= 14. 7 = 20 =
30 dienstag	Rosa, J.	= 21. 6 = 58 =
31 mittw.	Raymund	= 28. 6 = 46 =

1 donnst.	Aegidius
2 freitag	Steph. Kön.
3 samstag	Seraph.

Des Lachers Fluch. S. 129.

4 Sonnt.	13 n. Pfing.. ⚫	Vollm. d. 4. um
5 montag	Justinian	11 u. 10 m. Nachts.
6 dienstag	Magnus	Lezt. Vrtl. d. 13.
7 mittw.	Regina	um 2 u. 58 min.
8 donnst.	MarG.	Morgens. Neum.
9 freitag	Gorgonius	d. 20. um 7 u. 57
10 samstag	Nicolaus	m. Abends. Erst.

Das Marmorbild. S. 84.

11 Sonnt.	14 n. Pfing.	Vrtl. d. 26 um
12 montag	Tobias	11 u. 25 m. Vorm.
13 dienstag	Marilius ☾	
14 mittw.	† Erhöhung	
15 dönnst.	Nicodemus	
16 freitag	Cornelius	
17 samstag	Franz Wund	

Miston der Erde. S. 162.

18 Sonnt.	15 n. Pfing.	
19 montag	Januarius	
20 dienstag	Eustachius ⚫	
21 mittw.	Quatember	
22 donnst.	Mauritius	Sonnen=Aufg.
23 freitag	Thecla	den 4. 5 u. 27 m.
24 samstag	Joh. Empf	= 11. 5 = 39 =

Nemesistrank. S. 134.

		- 18. 5 = 52 =
25 Sonnt.	16 n. Pfing	= 25. 6 = 5 =
26 montag	Cyprian ☽	Sonnen = Unterg.
27 dienstag	Kosmas	den 4. 6 u. 33 m.
28 mittw.	Wenzeslaus	= 11. 6 = 21 =
29 donnst.	Michaelis	= 18. 6 = 8 =
30 freitag	Hieronymus	= 25. 5 = 55 =

Oktober.

1 famſtag	Remigius	

Das Ohr des Freundes S. 19.

2 Sonnt.	Roſenk. F.	
3 montag	Cauditus	
4 dienſtag	Franciskus ●	Vollm. d. 4. um
5 mittw.	Placidus	2 u. 47 m. Morg.
6 donnſt.	Bruno	Lezt. Vrtl. d. 12.
7 freitag	Markus	unf 7 u. 34 min.
8 famſtag	Brigitta	Abends. Neum. d.

Das Opfer zu Magneſia. S. 45.

		19 um 5 n. 24 m.
9 Sonnt.	18 n. Pfing.	Abends. Erſt.Vrt.
10 moutag	Franz B. ☾	d. 26. um 9 u. 38
11 dienſtag	Emilian	
12 mittw.	Maxim.	
13 donnſt.	Kolomanus	
14 freitag	Burkhard	
15 famſtag	Thereſia	

Das Räthſel. S. 70.

16 Sonnt.	19 n. Pfing.	
17 montag	Hedwig	
18 dienſtag	Lukas	
19 mittw.	Ferdinand ●	
20 donnſt.	Wendelinus	
21 freitag	Urſula	
22 famſtag	Cordula	Sonnen-Aufg.

Die Satirshaut. S. 126.

		den 2. 6 u. 17 m.
23 Sonnt.	20 n. Pfing.	= 9. 6 = 31 =
24 montag	Raph. Erz.	= 16. 6 = 43 =
25 dienſtag	Chryſoſt.	= 23. 6 = 55 =
26 mittw.	Evariſt. ☽	= 20. 7 = 7 =
27 donnſt.	Sabina	
28 freitag	Sim. Jud.	Sonnen = Unterg.
29 famſtag	Narciſſus	den 9. 5 u. 43 m.

Seelenpflege. S. 98.

		= 9. 5 = 29 =
		= 16. 5 = 17 =
30 Sonnt.	21 n. Pfing	= 23. 5 = 5 =
31 montag	Wolfgang	= 30. 4 ! 53 =

18

November.

1 dienstag	Allerheilig.	
2 mittw.	Allerseelen	
3 donnst.	Hubert. ☉	
4 freitag	Carolus, B.	
5 samstag	Zacharias	Vollm. d. 3. um 8

Sofisten = Stammbaum. S. 15.

6 Sonnt.	22 n. Pfing.	u. 54 min. Morg. Lezt. Brtl. d. 11.
7 montag	Engelbert	10 u. 11 m.Vorm.
8 dienstag	4 gekr. B.	Neum. d. 18. 3 u.
9 mittw.	Theodor	25 m. Morg. Erst.
10 donnst.	Respicius	Brtl. d. 24. um 11
11 freitag	Martin ☾	u. 32 m. Nachts.
12 samstag	Jonas	

Olimpische Träume. S. 206.

13 Sonnt.	23 n. Pfing.	
14 montag	Jucnndus	
15 dienstag	Leopold	
16 mittw.‡	Ottmarus	
17 donnst.	Gregor, A.	
18 freitag	Dio, Abt ●	
19 samstag	Elis. K. v. U.	

Der Triumf Aller. S. 225.

20 Sonnt.	24 n. Pfing.	
21 montag	Mar. Opfer	
22 dienstag	Cöcilia	Sonneu = Aufg.
23 mittw.	Clemens	den 6. 7 u. 16 m.
24 donnst.	Chrysog. ☽	= 13. 7 = 28 =
25 freitag	Catharina	= 20. 7 = 38 =
26 samstag	Conrad	= 27. 7 = 46 =

Ungenius. S. 93.

27 Sonnt	1 Adven	Sonnen = Unterg.
28 montag	Sosthenes	den 6. 4 u. 44 =
29 dienstag	Saturnin	= 13. 4 = 32 =
30 mittw.	Andreas	= 20. 4 = 22 =
		= 27. 4 = 14 =

19

Dezember.

1 donnst.	Eligius	
2 freitag	Bibbana	
3 samstag	Franc. X. ☾	

Das Waarenlager. S. 178.

4 Sonnt.	2. Advent	
5 montag	Sabbas	
6 dienstag	Nicol. B.	
7 mittw.	Ambrosius	
8 donnst.	M. Empf.	
9 freitng	Ristituta	
10 samstag	Eulalia	

Vollm. d. 3. um
3 u. 4 m. Morg.
Lezt. Vrtl. d. 10.
um 10 u. 21 min.
Nachts. Neum. d.
17. um 2 u. 4 m.
Nachmitt. Erstes
Vrtl. d. 24. um 5
u. 11 min. Abends.

Der Wink des Augenbliks. S. 121.

11 Sonnt.	3. Advent	●
12 montag	Justina	
13 dienstag	Lucia	
14 mittw.	Quat.	
15 donnst.	Christiana	
16 freitag	Albert	
17 samstag	Lazarus ☉	

Cäsar am Rubikon. S. 141.

18 Sonnt.	4. Advent MEr.	
19 montag	Nemesius	
20 dienstag	Christianus	
21 mittw.	Thomas	
22 donnst.	Beata	
23 freitag	Victor	
24 samstag	Adam u. Eva ☽	

Sonnen=Aufg.
den 4. 7 u. 52 m.
= 11. 7 = 58 =
= 18. 9 = 0 =
= 25. 8 = 0 =

Die Zauberpforten. S. 37.

25 Sonnt.	H. Christf.	
26 montag	Stephan	
27 dienstag	Joh. Evang.	
28 mittw.	Unsch. Kindl.	
29 donnst.	Thomas B.	
30 freitag	David	
31 samstag	Silvester	

Sonnen = Unterg.
den 4. 4 u. 8 m.
= 11. 4 = 2 =
= 18. 4 = 0 =
= 25. 4 = 0 ⚹

20

I.

Die Bahn des Lichtes.

„Wage du zu irren und zu träumen,"
„Hoher Sinn liegt oft in kind'schem
Spiel."

(Thekla, eine Geisterstimme. St. 6. V. 3—4)

Damofon von Messene hatte den Auftrag erhalten, das unsterbliche Meisterwerk des grosen Fidias,
den olimpischen Jupiter — auszubessern. Um aller
Götter willen, rief er die Hände über der Brust
kreuzend, was denken die gute Eleer! — Ach! fuhr
er trübe fort, sie denken zu vielerlei, und
empfinden zu wenig, sonst würden sie sich an das
Unvergängliche halten, und nicht nach dem abge-
sprungenen Elfenbein fragen! Groser Zevs! rief er
wieder mit himmelwärts gerichteten Augen — sie
heisen dich den Olimpischen, knien so lange schon
vor deinem göttlichen Bilde, und sind doch nicht be-

1

geistert genug geworden, die Zierrathen im hehren, erfüllenden Anblik, im hinwegreissenden An-
schauen, im versenkenden Anstaunen des Himmlisch-
hohen zu — vergessen!

Er gieng langsam aus der Stadt, gleich als wolle er der schönen Natur, dieser treuen Freundin
des ächten Genius, sein Leid und die Unbild ge-
meiner Seelen klagen.

Nein! rief er, in ihrem blühenden Schoose sich
erholend — nein! die gute Juno Luzina vermocht'
ich den ehrlichen Aegiern aus Holz und Marmor
zusammenzusezen (es war doch schön von ihnen, daß
sie ihrer Nazional-Geburtshelferin keinen hölzernen
Kopf geben wollten, wenn gleich die Sparsamkeit
ihren Leib auf die Ausbeute des Haines anwies)
auch mit der Venus Machinatrix ließ ich mir's gefallen, und den Merkur macht' ich den Megalopoli-
tanern gar aus eitel Holz. Aber die Mutter der
Götter, aber Diana und Proserpina und Zeres
bildete ich nur aus Marmor. Und nun sollt' ich
die ächtende Hand geächtet an das Werk legen,
welches den Menschen die Gottheit gelehrt haben

würde, hätten auch die Götter nie selbst gesprochen? Nein! ich würde fürchten, die Nemesis des erhabenen Meisters steige aus ihrem Siegestempel bey Marathon hernieder, und zerschmettre den Frevlerarm mit dem persischen Marmor.

Sucht euch, so schloß er, sucht euch, ihr andächtige Seelen, einen andern, der weniger Andacht der Kunst hat, als ich, und nur von dem Höllenrichter träumt, der zu Plutos Füßen sizt. Ich folge meiner Lichtbahn; schwebt ihr — so fern' ihr es müßt — an der Dämmerung so gut fort, als ihr es vermögt: ich scheide von eurem Antrag, und dem Kleinruhm in frommen Annalen.

Ermüdet warf sich der Künstler unter dem hohen Sterngewölbe auf den blühenden Rasen nieder. von Gedanken zu Gedanken irrend, verlohr sich der Geist zulezt in den friedlichen Gefilden schlummernder Erquikung.

Da stieg im Traume der Vater der Götter und Menschen zu dem schlummernden Edeln herab — erhaben freundlich, nicht von Blizen umflammt,

1 *

aber ein hehres Lächeln auf den göttlichen Lippen.
Sieh mich, sprach der Donnerer, und bilde dem
nächtlichen Gesichte nach: auch dem Fidias erschien
ich einst so, er hauchte den Anblik in den Marmor.
Wie in dem deinigen, so wohnte auch in seinem
Herzen die Sehnsucht nach mir: nur wer mich nach
sterblichem Maas zu messen vermag, nur der wagt
es, sich nach mir zu sehnen. Wage es; du bist
mir nah.

Anbetend erwachte Damofon im Sternenglanz,
heilig säuselten Lüfte und Blätter, sein feierndes
Aug irrte am hohen Himmel, als such' es die ent-
schwebte Gestalt.

Fidias! rief er und seine Hände falteten sich empor. Ein weihendes Rauschen flüsterte von oben
herab, das Morgenroth geleitete ihn nach der Stadt,
unter seiner Hand gieng Fidias Werk verjüngt
hervor: Griechenland jubelte, und er schlug den
Blik himmelwärts, und sehnte sich nach der Erfül-
lung olimpischer Bürgschaft.

II.

Heldenfall.

„Es liebt die Welt das Strahlende
zu schwärzen,"
„Und das Erhab'ne in den Staub zu
zieh'n."
(Das Mädchen von Orleans. Str. 3. V. 1—2)

Kalpurnius. Den Göttern sey Dank! alle gute Römer und deine Freunde athmen freier.

Manlius Kapitolinus. Frei muß jede Römerbrust in jedem Augenblik athmen.

Kalpurnius. Und doch würde mir der ein Verräther an dem Vaterlande scheinen, der gestern nicht beklemmt in die Volksversammlung gieng, nicht erquikt aus ihr zurükkehrte.

M. Kapitolinus. Guter junger Mann, du kennst Menschen und Volk nicht.

Kalpurnius. Ich kenne deine Verdienste.

M. Kapitolinus. Sie nannten mich nach ihnen, und das vergiebt der Neid nicht leicht.   .

Kalpurnius. Du wurdest Romas Retter.

M. Kapitolinus. Ich wollte der Retter meiner Mitbürger werden. Was frommt diesen des hohen Kapitols Erhaltung, wenn sie zu seinen Füßen in den Ketten stolzer, hartherziger Gläubiger ein sieches Leben schleppen? Ich schlug die Tilgung der Volks-Schulden vor, und das vergiebt die Habsucht s ch w e r

Kalpurnius. Aber der Plan, welchen deine Feinde zum Untergang des hohen Manlius entwarfen, wurde dein höchster Triumph; im Marsfelde mußtest du siegen, du Erhalter Roms. Der angeklagte Held dem geretteten Kapitol gegenüber! O nimmer weicht das herzerhebende Gefühl aus meinem Busen, mit welchem ich die Volksfluth aufwallen sah, als gleichsam der Götter Stimme von der heiligen Burg des Vaterlandes herab deine Lossprechung gebot. Du bist gerettet!

M. Kapitolinus. Diesen halben Sieg vergiebt mir hassende Eifersucht, vergiebt mir rachsüchtiger Haß n i e !

Kalpurnius. Du b i s t gerettet!

M. Kapitolinus (lächelnd) Ich wünsche es deiner warmen Theilnehmung.

Kalpurnius. Heute hat die entscheidende Volksversammlung statt.

M. Kapitolinus (ruhig) Man wird mich nicht sehn.

Kalpurnius. Aber das Kapitol wieder! es spricht beredter für dich, als irgend eine Menschen= zunge.

M. Kapitolinus (lächelnd) Vergiß nicht, daß ehmals die wachsamen Gänse meine Bundesge= nossen waren! sie könnten jezt meinen Feinden an= hangen.

Kalpurnius. Alle Unglükliche Roms, alle be= drängte Familienväter, alle jammernde Wittwen und Waisen gehören deiner Schuzrede.

M. Kapitolinus. Warum sollt' es einem Kossus und seinen Mitverschwornen nicht gelingen, zum zweitenmal die Tone der Klage in Geschrei des Aufruhrs zu verwandeln?

Kalpurnius. Nur einmal konnte man ihnen glauben.

M. Kapitolinus. Meinst du? O guter Kal=

purnius, am hohen Nachthimmel nur lieben die Menschen den flekkenlosen Glanz, weil er ihnen leuchtet, ohne sie zu blenden.- -

Kalpurnius. Der öffentliche Glaube hat sich zu dir erhoben.

M. Kapitolinus. Er wird mich —

Kalpurnius.- Glänzend erhalten!

M. Kapitolinus (leise zu ihm) Vom tarpeischen Felsen stürzen.

Kalpurnius Ihr Götter! welcher Gedanke!

M. Kapitolinus (nach einer Pause) Hörst du das Getöse?

Kalpurnius. (herzlich) Des lossprechenden Volkes!

M. Kapitolinus (ernst) Des verdammen= den!

Kalpurnius. Warum willst du mich quälen?

M. Kapitolinus. Diese Töne kommen von der entgegengesezten Seite der Stadt!

Kalpurnius (betroffen) Kapitolinus!

M. Kapitolinus. Dort sieht man (bedeu= tend) das Kapitol nicht; dort bin ich nur Man= lius, Manlius der Empörer.

Kalpurnius. Grofer Jupiter! nimm diese
Unruhe von mir!

M. Kapitolinus. Laß von ihr dich vorberei-
ten. Meine Feinde veränderten den Ort der Volksversammlung, das ist klar. Kannst du an ihrer
Absicht, magst du am Erfolg zweifeln?

Kalpurnius. Ich hoffe noch!

M. Kapitolinus (auf den eintre-
tenden Zenturio zeigend) Noch? (Zu
dem Zenturio) Ich folge dir — zu dem tarpeischen Felsen! — Warum verhüllst du dein
Gesicht?

Kalpurnius. Es wäre — — !

Der Zenturio. Unter dir half ich Rom
retten.

M. Kapitolinus. So waren wir ja schon
Todesgefährten — kommt, Quiriten!

III.

Der heilige Heerd.

„Sage du mirs, du bist in diese Tiefe
gestiegen,"
„Aus dem modrigen Grab kommst du
erhalten zurük"
(Der Genius V. 9 — 10)

Pomponius saß bei einsamer nächtlicher Lampe,
von stillen Träumereien über die Natur der Dinge,
und das sonderbarste Ding der Natur, den Men=
schen, leise aus den Umgebungen des Daseins in
sein Innerstes weggerükt, als sich plözlich die Fall=
thür im Boden öffnete, und eine Grabesgestalt in
Leichentücher eingehüllt, langsam und feierlich die
lezte Stufe der Wendeltreppe herauffstieg. Er
starrte in kalten Schauern auf und zurük.

Fürchte nichts! sprach eine sanfte Stimme im
Silberton; und — gewähre mir Schuz. Sie ent=
schleierte sich; mit milderm Entsezen erblikte Pom=
ponius die bleiche und doch noch immer schöne Sa=

bina, die — vorgestern lebendig beerdigte Vestalin.

Du bist dem Grabe entronnen! rief er. Bey allen Göttern sprich! wie ist es in jener grausenvollen Tiefe der Verzweiflung und des Hingebens?

Laß' mich bey den Hausgöttern ruhen; labe die Schmachtende, und höre dann!

Mein kleines Brod war dahin, erschöpft der Krug, das Oel verloschen, Finsterniß umgab mich gräßlich, und der Hungertod gähnte mich aus offnem Rachen an, keine Thränen quollen mehr aus den trocknen Augen, matter schlugen die Pulse, mit der Kälte der hilflosen Verzweiflung ruhte ich dem schreklichen Schiksal hingegeben, auf dem Sterbelager. Ich sah im Geiste das trauernde Rom, den Treulosen sah ich, der mich verließ, nachdem er mich dem Jammer hingeopfert; noch tönte das lezte Rauschen der hinaufgezogenen Leiter, das ferne dumpfe Geräusch der mich bedekkenden Erde schlug noch an mein vergehend Gehör.

Da kam ein leiser Schlummer der Ohnmacht über mich; auflösend glitt die Hand des Todes über mein sinkend Dasein, und — die Erwärmerin des Erdkreises stand vor mir, die hohe jungfräuliche Vesta.

Die göttliche Fakkel loderte in der Hand der tief Verschleierten; Harpokrates schwebte um sie, tief heiliges Schweigen folgte ihm. Sie winkte ihm und mir, er verschwand, sie enthüllte sich, vom Boden emporgehoben schmiegt' ich mich zu ihren Füssen in das geheimnißvolle Gewand.

Gütig, mit unaussprechlicher Huld des Olimps sah sie auf mich herab. Du hattest mir den Eid der Weihe geleistet; sagte sie zulezt — welche Dekade begiengst du?

Im siebenten Jahre wurde ich dein, grose Göttin : die lernenden Jahre waren vorüber, die zweite Hälfte der verrichtenden nahte ihrem Ende — dann sollt' ich die lezten zehn Jahre der Lehre beginnen.

Und nun erst wurdest du selbst dem Geseze untreu?—

Ach! um eines Treulosen willen, der mich verließ.

Doch fliesen ihm deine Thränen noch?

Vergieb grose Göttin! du e i n e Hohe der heiligen Drei, über welche die hehre Zitherea keine Macht hat! ich liebte ihn, diese Thränen fliesen der Liebe.

Vesta lächelte mild, ihr gütiger Blik sank auf die Flehende.

Die nährende, erhaltende Flamme nahm ich in Schuz, sprach sie: ihr, der Allbeleberin des Alles schwur ich bei'm Haupte des Zevs mein jungfräuliches Leben zu. So kannten mich die Sterbliche, so weihten sie mir den Rundtempel und dienende Jungfrauen; sie weihten den dienenden eine göttliche Würde, und ihrem Vergehen den unerbittlichen Tod. Und so begrub man dich, gute Sabina, der ersten Vesta zu Ehren.

Doch entzündete ich — fuhr sie vom sanften Strahlenkranz umgeben fort — entzündete ich nicht auch das wirthliche Feuer auf häuslichem Heerde? Ihn weihte ich mir selbst in Mitte der freundlichen Heimath, welche ich den Menschen bauen lehrte; im Vorhofe wohnt mein heilig Säuseln, und an heiliger Stätte stiller Häuslichkeit zwischen Gatten, Eltern und Kindern schwebt' ich beglückend froh. Aber der Mensch hat mein schöneres Verhältniß zu ihm über den willführlich erwählten Schauern des Geheimnisses vergessen; die lezte Vesta kennt er noch nicht, und sie rettet dich.

Sie führte mich freundlich durch die verschloßne

Erde, welche sich dem Wink der Beherrscherin öffnete, bis zu den Staffeln, die aus der Tiefe herauf
hier zu deinem Heerde führen, weiser Pomponius.

Wandle zur Oberwelt zurük, sagte sie in hoher
Verklärung; verkünde dem einsamen Forscher nach
Wahrheit, welchen du am heiligen Heerde finden
wirst, Vestas Doppel-Dasein. Er lehre die be-
tende Menschen, wie sie die jungfräuliche Pflegerin
des Alls von der Freundin des häuslichen Glüks,
die Göttin der Macht von der Schuzgöttin süßer
Freuden unterscheiden, und doch beide vereint im
stillen Frieden verehren sollen. Die erste und lezte Vesta lehr' er sie kennen, und lieben diese, wenn
sie jene anbeten: die Himmelsflamme lodre der
ersten, der andern die stille innige Glut der Liebe;
um den heiligen Altar wache die Schaar geweihter
Jungfrauen, doch am heiligen Heerde schlum-
mere der Säugling im Arm der Mutter, und
die Vestalin, welche Matrone werden möchte,
steige nicht mehr in die rächende Todesgruft,
sie sinke in den empfangenden Arm des Geliebten.

IV.

Sofisten = Stammbaum.

„Jahre lang schöpfen wir schon in das
Sieb und brüten den Stein aus,"
„Aber der Stein wird nicht warm,
aber das Sieb wird nicht voll."

(Die Danaiden.)

Danaus. Weissagender Apoll! O schirme mein
Recht! Sieh aus der Ferne komm' ich hieher, mein
altväterlich Erbe zu suchen, und diese Argiver
wissen nicht was sie sollen. Gieb ihnen ein Orakel
aus dem Schaze deiner Weisheit, welches sie er=
kennen lehre das Wahre, und das Rechte thun!

Das Volk (aus der Ferne) Wunder!
Wunder!

Apolls Stimme. Das Orakel ist gegeben,
herrsche weise und glüklich.

Danaus. Dem lifischen Apoll, dem Wolfs=
sender sei ein heiliger Tempel geweiht.

Apolls Stimme. Brunnen wirst du die Argiver graben lehren, ihre Schiffe bemasten; fünfzig Töchter gehn aus den fruchtbaren Lenden des Vaters hervor; siehe! hier nahen die fünfzig Söhne deines Bruders Aegiptus. Die Hochzeitfakkel flammt — Seegen, Seegen ruft das Gebet, und das nächtliche Echo ruft Blut! Blut! Ich sehe den rettenden Liebesgott! die Helden seh' ich! — stolze Erde, du trägst die reiche Aerndte der Halbgötter.

Danaus. Weissagender Gott! warum verstummt die Stimme der Wahrheit schon! warum schwieg sie nicht eher!

Gelanor. Lebe wohl, Danaus! Gern entweiche ich von dem undankbaren Argos: ich will Blumen, Pflanzen, Getraide und freundliche Bäume.

Apolls Stimme. Und dein Geschlecht wird in stillem Frieden blühen, bis einst Sidons Zepter vom Sohne Jupiters in des Gärtners Hand gegeben wird.

Danaus. Gelanor! nur wenig Worte schenkte dir der Gott, aber sie scheinen mir reicher, als die hohe Rede, welche auf mein Haupt fiel.

Gelanor. Trage und genieße.

Apolls Stimme. Undankbarer! Wittwen-
Thränen werden sie weinen und heiße Zähren
der Buße, die zweideutige Jungfrauen: aber der
Trost der Liebe flieht — flieht sie! Beßern werden
sie's wollen, und sinnen, sinnen werden sie auf
die fliehende Weisheit, und tragen die Tropfen
und Fluthen in die Siebe ihrer Erfindungen; aber
die Wahrheit entschlüpft. Dort rinnt das verräthe-
rische Naß am Boden, aus deinen Brunnen ge-
schöpft, sie sehn ihm weinend nach, und ächzend
holen sie mehr und holen wieder, aber immer
und immer entschlüpft die durchrinnende Wahrheit.

Gelanor. Meine Pflanzungen mögen nicht
schmachten, großer Gott!

Apolls Stimme. Der Thau des Olimps
senkt sich befruchtend auf dein stilles Reich— es gedeiht.

Eine verschleierte Gestalt (steigt
aus der Erde auf) Der Liebe versage nicht
den Trost des Heldenstammes.

Apolls Stimme. Perseus steigt mit seinen
Thaten aus dem Meere, Herkules schwingt sich

vom Scheiterhaufen zum Olimp — das Heldenge-
schlecht entblüht aus der treuen rettenden Liebe.

Danaus (mit einem Blik auf die ver-
schwindende Gestalt, unwillkührlich
ahnungsvoll) Hipermnestra!

Apolls Stimme. Die Treue gebährt Helden,
und aus den Untreuen entspringen die Träumer im
Reiche des Daseins!

Danaus. Mit Ruhm kröne mich die Weisheit!

Apolls Stimme. Schöpfen werden sie rast-
los und brüten, aber vergeblich — und Danaiden werden sie heisen.

Danaus. Mein likischer Tempel.

Apolls Stimme. Du nanntest mich nach
deinem Behagen! er stehe als Denkmal
deiner Thorheit, und Danaiden sei der Sofisten Name auf ewig.

———————

V.

Das Ohr des Freundes.

"Willst du Armer stehen allein und allein durch dich selber,"

"Wenn durch der Kräfte Tausch selbst
das Unendliche steht?"
(Der filosofische Egoist, V. 13 — 14)

Damon. Meine Erwartungen sind getäuscht.

Pithias. Das sagt der Jüngling voll Lebens-
kraft und Lebenshoffnung?

Damon. Die Kraft will ich anwenden, der
Hoffnung zu entsagen. Thais flieht mich, mein
Vater grollt, Dionis drängt mich vom Dienste
des Vaterlandes.

Pithias. Thais ist jungfräulich schüchtern;
dein Vater liebevoll, doch ernst; vom wahren
Dienste des Vaterlandes kann uns nichts verdrän-
gen, als Unwerth.

Damon. Hast du es ausgesprochen?

Pithias. Deine Lippe ist bitter!

Damon. So ist es denn endlich vorhanden,

das Wort, welches längst herb auf der Deinigen
schwebte!

Pithias Sie öffnete sich dem Ohr des Freundes.

Damon. Des Freundes! dem du Thais raubst,
den Vater entfremdest, und zulezt das Urtheil mo-
ralischer Verbannung sprichst!

Pithias. Auch dich hört jezt das Ohr des
Freundes, dessen Herz dich nicht begreift, doch
nicht bezweifelt.

Damon. Thais liebt dich.

Pithias. Du siehst mich staunen.

Damon. Zum Sohne wünscht dich mein Vater.

Pithias. Möcht' ich es sein! wir wären dann
Brüder.

Damon. Und die Stelle, welche ich suchte, bestimmt Dionis dir!

Pithias. Ich nehme keine.

Damon. Freundschaft sprichst du, doch deine
Handlungen flüstern — — —

Pithias. Vollende das unheilbare Wort nicht.

Damon Ist die Wahrheit dem Ohr des
Freundes fremd geworden?

Pithias. Die Leidenschaft weiß es zu hören; doch dem Vorwurf schließt es sich zu.

Damon. Gut denn! ich sage dir Lebewohl, und stehe fortan allein.

Pithias. Als Knaben theilten wir Spiel und Freude.

Damon. Diese ist dahin, jenes wird ernst.

Pithias. Aufwachsend fühlten wir das Band unserer Seelen sich mit uns entwikeln.

Damon. Für die Erwachsene scheint es zu eng zu werden.

Pithias. Die Jünglinge theilten, den Knaben nacheifernd, Genuß und Geschäft.

Damon. Der Wunsch des Genußes trennt unser Geschäft.

Pithias. Nun steh'n wir auf der Schwelle des männlichen Alters: mit innig verschränkten Armen und Herzen legten wir die Bahn bis zu ihr zurük; jede Blume war uns gemeinschaftlich wie jeder Dorn; der fruchtbarste Theil unsers Weges lacht uns zu, und der furchtbarste. — Willst du dich trennen? kannst du?

Damon. Ich muß; alle Blumenblätter nahmst

du zurük, als du mein Herz zerrißest. Ich will fortan allein stehn.

Pithias. Dem Ohr des Freundes ist das Tosen aufgeregter Empfindung kein Donner, der Unglük weissagt. Dein Herz, mit dem Bedürfniß des Anschliesens gebohren, lebhafter als eines nur im Anschliesen lebend, könnte grellende Einsamkeit ertragen? — Nein! du vermagst es nicht.

Damon. Du trozest auf deine Unentbehrlichkeit.

Pithias. Ich vertraue ihr. Dich kennend, lieb' ich dich warm und uneigennüzig genug, dir das Band zu zeigen, von welchem du umschlungen sein mußt, auch wenn du es mir entziehst.

Damon. Warum liebt dich Thais?

Pithias. Fragtest du mich, warum ich glaube, daß sie dich nicht liebt —

Damon. Dann?

Pithias. Dein Blik brennt — der Freund höre. Dann würd' ich die Hand auf dein Herz legen, und wiederholt dich bitten: gieb und du empfängst.

Damon. Dein altes Wort.

Pithias. Mein immer neues Glük.

Damon. Und mein Vater?

Pithias. Auch hier gieb, um zu empfangen.

Damon. Und Dionis? wäre auch dort Liebe auf Wucher angelegt?

Pithias. Liebe thut der Gewalt wohl; der unumschränktesten am meisten! die Löwin folgt der Amorine. Empfangen wirst du auch hier, wenn du giebst.

Damon. Ich liebte! ich liebe!

Pithias. Die Sehnsucht nach Liebe anderer nennst du eig'ne Liebe. Empfangen wollen nennst du Geben. Gieb, ohne des Empfangens zu denken; dann — dann stehst du, mitten unter dem Streben nach Herzen, nicht mehr allein!

Damon. Stand ich so? warst du nicht —?

Pithias. Dein! so wiederruft das Herz, was der vorlaute Mund unwillkührlich der Verstimmung des Augenbliks nachsprach.

Damon. Und wenn ich nicht gab, warum empfieng ich von dir?

Pithias. Weil dir zu geben, ohne an Empfangen zu denken, mir Bedürfniß und Genuß ist.

Damon (in seinen Armen) Freund! Freund! unzertrennlich von dir! der Kräfte, der Herzen treuer Tausch!

Pithias. Und der Leben! Er beglükte uns! sein Andenken überlebe uns!

VI.

Die Gegner.

„Den lauten Markt mag Momus unter halten,"

„Ein edler Sinn liebt edlere Gestalten"

(Das Mädchen von Orleans Str. 3 V. 5 – 6)

Hugo Grozius (schreibend)" Ja lieber,
„guter Vater, ich bin der Ehre satt; das ruhige
„Leben des friedlichen Privatstandes lächelt mich
„freundlich an: den Blik himmelwärts zu richten,
„und Werke für die Nachwelt zu schaffen, das,
„das wäre mein Glük: dann würd' ich meiner
„Bestimmung und meines ewig beweinten Barne-
„velds würdig gelebt haben." (Pause.) Da
gehn meine liebsten Wünsche, flüchtig wie der
Hauch in der Luft, auf flüchtigem Blatte hin! ein
passender Bild für die Zukunft des Menschen wüßt'
ich kaum. (Lächelnd) Ein neuer Beweis, wie
reichhaltig die edle Erfindung des Papiers ist!

Der Gesandtschafts-Sekretär (mit Papieren) Die Depeschen nach Stockholm zur Unterschrift.

Hugo Grozius. Hm! wir waren fleisig seit gestern.

Sekretär (lächelnd) Der Kardinal giebt seinen Beobachtern zu thun.

Hugo Grozius. Wär' er Komet, statt Fixstern, unsere politische Astronomie hätte besser Spiel.

Der Privat-Sekretär (unter der Thüre dem Gesandtschafts-Sekretär begegnend) Der Annalist löst den Staatskünstler ab; das heißt ja, der —

Hugo Grozius (einfallend) Todesengel begegnet dem Helden.

Gesandtschafts-Sekretär. Darum fürcht' ich auch nichts (geht)

Hugo Grozius. Willkommen, lieber Freund! Wie freu' ich mich, Sie wieder mit den stillen Zeugen meiner Lieblingsstunden zu sehn. Haben Sie alles in's Reine geschrieben?

Privat-Sekretär. Alles, und mit welchem Genusse!

Hugo Grozius. Wollte Gott! man könnte die Menschen selbst so auf das Reine bringen, wie ihre Geschichte.

Privat-Sekretär. Bekomm' ich neue Arbeit?

Hugo Grozius. Ein einziges Blatt glükte mir seit gestern; Richelieu gab mir viel zu denken, und gleichwohl noch etwas weniger zu schreiben.

Privat-Sekretär. Oxenstierna versteht schnell.

Hugo Grozius. Und der Kardinal dekt sich bis an die Augen mit seinem rothen Talar zu.

Privat-Sekretär. Ein groser Schauspieler!

Hugo Grozius. Der sich bey seinem Spiele selbst verzehrt.

Privat-Sekretär. Einst Ihr Feind.

Hugo Grozius. Noch mein Gegner.

Privat-Sekretär. Wie er sich jezt gedemüthigt fühlen muß!

Hugo Grozius. Er nahm mir meine Pension, und muß nun mein Kreditiv nehmen.

Privat-Sekretär. Welcher Triumf für Sie!

Hugo Grozius. Lieber Freund! mich bilde-te Johann von Olden-Barneveldt.

2 *

Privat-Sekretär. (horchend) Geräusch im Vorzimmer!

Hugo Grozius (den Schreibtisch verschliefend) Sehn Sie doch zu — der Gelehrte hätte offen gelaffen, wo der Gefandte verschliefen muß —

Privat-Sekretär (eilig) Der Herr...

Kardinal v. Richelieu (in weltlicher Tracht) Ein bekannter Unbekannter.

Hugo Grozius. Ich ehre, der Gegenwart mich freuend, das Inkognito.

Kardinal. Ich komme, mit dem erlauchten Urheber des Kriegs- und Friedensrechtes —

Hugo Grozius. Doch nicht Krieg zu führen?

Kardinal (ihm die Hand reichend) Frieden zu schliefen.

Hugo Grozius (lächelnd, reicht ihm feine Hand) Alfo nicht der Kirchen-Fürst mit dem Theologen?

Kardinal. Einft gehörten Sie dem allerchriftlichften König an — nun befizt Sie Schwedens Kriftine—Ihre Orthodoxie ift nicht zu bezweifeln—

48

Hugo Grozius. Am wenigsten von Gustav Adolfs Bundesgenossen.

Kardinal Laffen wir nun den Wiz —

Hugo Grozius. Führt Sie nicht der Geist zu mir?

Kardinal. Ich möchte sagen, das Herz —

Hugo Grozius (ihn fixirend) Um so willkommner —

Kardinal (heiter) Sie sehn mich vorerst auf den Talar an — Was auch Vieuville geschwazt haben mag, heute, und hier paßt es nicht. Sie haben Ursache, mit mir nicht zufrieden zu seyn —

Hugo Grozius. Ludwigs Güte ist mir unvergeßlich.

Kardinal. Ebenso des Kardinals Abneigung?

Hugo Grozius. Dem Annalisten ziemt Leidenschaftlichkeit nicht.

Kardinal. Ich nahm dem Annalisten seine Penfion —

Hugo Grozius. Das hat der schwedische Staatsrath vergessen.

Kardinal. Ich weigerte dem Gesandten die Aufnahme —

Hugo Grozius. Das hat den Kanzler Oxenstierna nicht geirrt.

Kardinal. Ein Mißverständniß entfernte uns —

Hugo Grozius. Wenn man der wechselseitigen Beziehungspunkte so manche hat, dann wird das leicht möglich.

Kardinal (betroffen) Die Geschäfte mögen uns trennen, die Liebe der Wissenschaften vereinige uns.

Hugo Grozius. Eintracht der Gemüther ist eine der schönen Blühten in ihrem Kranze.

Kardinal. Auch Sie sind Staatsmann, Theolog, Rechtsgelehrter, Geschichtschreiber und schöner Geist zugleich, und gleich gut.

Hugo Grozius. Eminenz —

Kardinal (freundlich) Ich erinnere Sie, daß der Talar fehlt — wollen sie vielleicht durch den Titel mich an den Vorwurf der Komplimente erinnern? — Das wäre von jedem, doppelt vom Annalisten ungerecht.

Hugo Grozius (troffen) Allerdings; denn diese sind ja ein verbotner Artikel für ihn.

Kardinal. Fönix Ihres Vaterlandes, laſſen Sie uns Freunde ſein! Wir leben beide für die Nachwelt.

Hugo Grozius. Mehr als König von Frankreich, wir wollen uns für das Gute vereinigen! dann leben wir beide für die Ewigkeit.

Kardinal. Doch ohne der nächſten Umgebungen zu vergeſſen?

Hugo Grozius. Daran muß man mich erinnern. (F.ſ.) Du führteſt dein Herz an, aber die Eitelkeit brachte dich zum Geſchichtſchreiber ſeiner Zeit! Saturn achtet keinen Talar!

VII.

Heitere Höhen.

„Frei von Tadel zu seyn, ist der nie-
drigste Grad und der höchste,"
„Denn nur die Ohnmacht führt oder
die Gröse dazu."

(Korrektheit)

Der Zwerg. Wer doch dort oben auf den
Himmelshöhen wäre!

Der Hüther des Bergs. Götterwehen um-
säuselt sie, Götterwonne wohnt auf ihren Sonne-
zinnen, nichts Irrdisch-Niedres kann dir folgen
— wenn — —

Zwerg (sich begierig auf die Zehen
stellend) Wenn? O sprich, lieber Erhabner,
sprich!

Hüther. Wenn du die Kraft besizest, hinauf zu
gelangen.

Zwerg. Eben wollt' ich — vergieb die Unbe-
scheidenheit — ich wollte eben —

Hüther. So wolle und ende!

Zwerg. Nur einen Augenblick, gestrenger Herr! — Dich fragen wollt' ich, wie ich das anzus fangen hätte.

Hüther (wendet sich verachtungsvoll von ihm ab.)

Zwerg (wehmüthig) Er schweigt! (Die Hände nach der Berghöhe hebend.) Wie mach' ich es?

Ein Kranker (wird herbeigetragen) Sezt mich hier nieder, ihr Leute!

Die Sklaven (ihn niederlassend) Uf! das war weit! und schwer!

Kranker. Dort oben! ach dort oben!

Zwerg. Möchtest du auch dahinauf?

Kranker. Ach ja! ich bin so leidend —

Zwerg. Und hoffst auf jenen Höhen Genesung?

Kranker. Ich bin ihrer gewiß. Kannst du mir nicht den rechten Pfad angeben?

Zwerg. Wenn ich ihn nur selbst wüßte!

Kranker (seufzend) Ach ja, du Glüklis cher bedarfst des Steigens nicht — du bist gesund.

Zwerg (ärgerlich) Aber klein!

Kranker. Das ist (lächelnd) ein ganz gutes Mittel, um gesund zu bleiben. Wär' ich nur nicht zu schnell, zu sehr gewachsen, ich würde (seufzt wieder) nun wohl nicht krank sein!

Zwerg. Und gern wär' ich krank, wär' ich nur auch groß!

Ein Starker (kommt) O schön!

Zwerg (den Kranken anstosend) Sieh einmal den!

Kranker. Ich kenne — —

Zwerg (rasch einfallend) Ihn? Ein herrlicher Mann!

Kranker. Das ist einer von den wahrhaft Gesunden.

Zwerg. Und doch — sieh, er macht Anstalt den Berg zu ersteigen.

Kranker (seufzend) Ihm wird es gelingen —

Zwerg. Was thut er denn oben, wenn er gesund ist?

Kranker (verdrüßlich) O laß mich in Ruhe, ich bitte dich.

Zwerg (begierig aufschauend) Da ist

er schon hoch heran! Um des Himmels willen, der fragte gar nicht nach dem Wege, und ist schon so weit!

Kranker (neidisch nachblickend.) Ein Waghals!

Zwerg (verwundert) Du lobtest ihn ja erst.

Kranker. Ach schweige doch!

Zwerg. Was der Mensch klettert — es ist entsezlich —

Kranker. Vielleicht gleitet er aus —

Zwerg. Möchtest du das? — Nicht einmal um den Hüther bekümmert er sich.

Kranker. O sie — — (abwärts) kennen sich schon!

Zwerg (immer nachsehend) Was sagst du? — Eine herrliche Idee, die mir kommt! — er soll mich auf seinen Schultern mitnehmen — (rufend und winkend) Hem! bst! hem!

Kranker. Er hört dich nicht mehr.

Zwerg. Er soll aber — He! He!

Kranker. Du rufst dich todt, ohne ihn aufzuhalten.

Zwerg (aufgebracht) Jezt mag er aus-

gleiten — um mich hat er's verdient. Wenn er
doch recht tief fiele —!

Kranker. Recht hart!

Zwerg. O weh! weh! er hat's erreicht — er
ist oben —

Kranker (aufblickend) Wahrlich!

Zwerg. Wie hoch! wie kek! Mir schwindelt
hier unten! (hält sich an dem Kranken)

Kranker. Auch er wankt! Sieh sieh! (hält
sich an dem Zwerge)

Zwerg. Du wankst, du! Ach! er steht fest!

Der Hüther des Bergs. Fort von hier,
niedrig Gesindel!

Zwerg. O Herr!

Kranker. Herr!

Der Starke (von oben herab) Laß' sie!

————————

VIII.

Die Zauberpforten.

„Du kerkerst den Geist in ein tönend
Wort,"

„Doch der Freie wandelt im Sturme
fort."

(Die Worte des Wahns. Str. 4. V. 5-6)

Salomo. Stehe!

Der Geist (wandelt langsam fort)

Salomo. Stehe! hier ist des Lebens Pforte!

Geist. Ein Wunder hauchte mich durch sie.

Salomo. Sie schloß sich — du bist nun mein!

Geist (wandelt langsam weiter)

Salomo. Stehe! du bist mein!

Geist. Ein Räthsel wacht an der Pforte des Ausgangs, und öffnet mir —

Salomo. Ich will dir Gutes thun — du dienst mir! —

Geist (wandelt fort)

Salomo. Stehe! mir gehörst du an, sag' ich —

Geist (ernst erwartend)

Salomo. Und des zum Zeichen nenn' ich dich Mensch!

Geist (auf Fittichen fortschwebend) Das wachende Räthsel öffnet.

Salomo (wankend) bey meinem Siegelring, steh'!

Geist (von ferne, nach dem dumpfen Ton einer geschloßnen Pforte) Das Siegel ist gelöst!

IX.

Bileams Roß.

„Wie tief liegt unter mir die Welt,"
„Kaum seh' ich noch die Menschlein
unten wallen!"
„Wie trägt mich meine Kunst, die höchste
unter allen,"
„So nahe an des Himmels Zelt"!

(Der Metafisiker V. 1–4)

Begeistert von der eignen Rede, und durch den
Erfolg gehoben — so erzählt ein, vielleicht apokri-
fes Exemplar des Talmuds — schüttelte Bileams
Roß die stattliche Ohren, als es den alten Beruf
wieder antreten sollte; es hatte über der Kritik der
Schläge alle Geduld für die Schläge verlohren.
Aber unglüklicherweise war die Bewundrung des
Gesprochnen auch schon dahin geschwunden, und
an seine Stelle trat das Erstaunen über die Wider-
spenstigkeit des sonst so sanftmüthigen Thierchens.

Wie nun alle Versuche, ihm die vorige Rolle wieder geläufig zu machen, vergeblich blieben, und das Propheten-Roß immer unbändiger kurbettirte, da nahm man ihm Sattel und Zeug ab, und ließ es springen.

Aber es sprang auch! die weite Welt schien ihm anzugehören, auf grasigen Matten verlohr es sich im abwechselnden Spazierrennen, aus der Hand der Natur nahm es seine Nahrung — nicht mehr Futter — und vom blumenbekränzten Bach holte es selbst den erquikfenden Trank.

Indessen kann man nicht immer spazieren, grasen und trinken. Das Eselein beschloß die Reise nach der Weisheit anzutreten; denn, dacht' es bei sich, finden muß ich sie; ist sie es doch, die mich sprechen lehrte. Es wollte sich selbst Beifall über die reichhaltige Idee jauchzen, aber ach! die Wundergabe war mit den wenigen Worten des ersten Versuches erschöpft, und der Jubel erschallte in den angebohrnen Tönen. Etwas befremdet sah unser grauer Freigelassener um sich. Doch, tröstete er sich im Stillen, das wird sich geben, wenn ich erst die Weisheit gefunden; genug, daß ich denken und mit mir selbst sprechen kann.

Gemüthlich stieg er bergauf. Hoch muß die Weisheit wohnen, fuhr er in vertrautem Selbstgespräche fort; daran läßt sich gar nicht zweifeln; und je weiter ich dies Gebirg mit meinen Blikken verfolge, desto deutlicher seh' ich von Höh' zu Höhe kleine freundliche Hütten. Dort wohnen wahrscheinlich die Söhne der Erhabnen, die Amtsbrüder meines vormaligen Herrn; von einem zum andern steigend gelangt man endlich zu dem Tempel selbst. Unterwegs werd' ich mich von allem Zugehör meines bisherigen elenden Daseins befreien lassen; dem Roß' ohnehin so nahe verwandt, komm' ich als ein vollendetes Pferd oben an, die Göttin erkennt mich, ich erhalte die Sprache wieder, und bleibe dann erleuchtet und erlaucht in ihrem freien Dienste.

An der ersten Hütte meldet er sich zum — Ohrenstuzen. Ein ernster finsterer Mann erweißt ihm den erbetnen Liebesdienst, ohne ein Wort zu sprechen, streut ihm Asche auf die Wunden, sieht ihn ein oder zweimal mit einer Art von mitleidiger Befremdung an, und — läßt ihn laufen.

Zwar schmerzten die u m g e b i l d e t e Ohren nicht
wenig, auch stachen Dornen und spize Kiesel, doch
unser guter Weisheitsjünger wurde nicht irre, ge=
langte zur andern Hütte, und bat um Befreiung
von dem häßlichen — Schweife.

Ein lächelnder Jüngling willfahrt dem Suppli=
kanten. Neue Schmerzen folgen dem neuen Bil=
dungsschnitt, aber die Freiheit läßt der Lächelnde dem
Kandidaten, wie es zuvor der Ernste gethan. An
beiden Extremen leidend humpelt der edle Eiferer
die immer beschwerlichere Bergsteige hinan.

An der dritten Hütte flehte er, zwar etwas un=
filofofifch wimmernd, übrigens aber wie die beiden
erstenmale durch ziemlich geschifte Pantomime, um
eine neue Haut. Ein handfester Langbart erhört ihn,
gar bald, und macht rasche Anstalt zum Abziehen
der alten. Doch das war des ehrgeizigen Grau=
schimmels Sache nicht; als ob ihm der Kopf brenn=
te, bracht' er sich über Distel, die er zu speisen
vergas; über Stock und Stein, die er in der Angst
nicht fühlte, nach der vierten Hütte in Sicherheit.

Dort trocknet ihm eine freundliche Alte den ban=
gen Schweiß. Ja ja, flüstert sie seiner wiederhol=

ten Gebehrdensprache zur Antwort, ich helfe dir,
gutes Wesen. Damit wirft sie ihm eine Haut über,
welche einst der stolzeste arabische Hengst als sein
Eigenthum trug. Bileams Roß gefiel sich in dem
neuen Puze und trabte dankbar davon.

Aber immer steiler wurde der Berg, saurer die
Reise: die Doppel-Haut kostete dem keuchenden
Träger beinah' allen Odem. Zu gutem Glük ge=
langte er noch früh genug zur fünften Hütte, um
dort die Last abzuwerfen, sich selbst aber auf
frisch gemähtes Gras zu lagern. Wie er sich durch
Ruhe und Schmaus erholt hat, erblikt' er stau=
nend einen stattlichen Mann, der mit feierlicher
Miene Pfaufedern an eine Gans verschmückt. Das
ist mein Mann! ruft der Reisende, und lautes ja=
nen erinnert den Hüttenbewohner, daß Kundschaft
da sei.

Es ist wirklich der Mann für unsern Bileamiten.
Binnen einer Stunde hat er den Hocherfreuten
zum schönsten Rappen — umgemahlt, und beseeligt
trottirt der Verwandelte nach dem nun nicht mehr
entfernten Tempel.

So hoch wand er sich jezt auf dem Felsenpfade

hinauf, so hoch, daß man eben ein Adler oder Bi=
leams Roß seyn mußte, um nicht zu schwindeln.
Aber sein Genius erhielt ihn, und gab ihm die
Kraft, mit stolzem Blik von oben herab das
Judenreich und seine Bewohner als einen Amei=
senhaufen zu würdigen, und des armen Bileams
verächtlich zu gedenken. Zum Profeten wurde er
berufen, sprach der Klippensteiger; ich habe mich
selbst umgeschaffen, und werde nun hier der Weis=
heit gewidmet, des Erdengesindels vergessen.

Er kommt bei dem Tempel an, tritt hinein,
und — schreckt zurük. Mit aufgehobnem Stabe
steht eine himmlische Gestalt ihm gegenüber. Doch
umsonst ist Flucht; von selbst hat sich die Thüre hin=
ter dem Ankömmling geschlossen. In sich geduckt,
der gestuzten Ohren, des verkürzten Schweifes,
der edlen Farbe rein vergessend, kriecht er zitternd
zu den Füßen der unbeweglichen Gestalt, und er=
wartet dort in demüthiger Geduld sein Schicksal.

Der Stab dräut noch immer, ohne zu fallen,
das Wunder der Sprache kehrt auf einen Augenblik
zurük. Warum schlägst du mich n i c h t ? fragt der
Esel, Ohren und Schweif sind ergänzt, die Far=
ben wieder vertauscht, die Bahn der Weisheit vol=
lendet.

X.

Das Opfer zu Magnesia.

„Vor Unwürdigem kann dich der Wille,
der ernste, bewahren."

(Das Glük V. 13)

Themistokles. Die Götter seien uns gnädig, und mögen dem Wohlthäter vergelten, dem Dankbaren — verzeihn!

Archeptolis (leise zu seinen Brüdern) Der Vater betet.

Polieukt. Ich verstehe seine Worte nicht.

Kleofant. Sieh, unsre Schwester Mnesiptoleme betet mit.

Italia. Stöhrt nicht den Vater, die Schwester nicht, meine Brüder. Ihn liebten die hohe Götter von Anbeginn, und sie ist der Mutter der Götter als Priesterin geweiht.

Polieukt. Jezt hat er geendet.

Themistokles. Laßt nun den Boten des großen Königs eintreten.

Neanthes. Herr! Artaxerxes harrt deiner Nachrichten.

Themistokles. Wo ist der König?

Neanthes. Noch immer in den obern Provinzen beschäftigt.

Themistokles. Du sagst, er harre auf Nachricht von mir. Hat er denn meinen Entschluß schon erhalten?

Neanthes. Er sezt ihn voraus. Athen eilt dem empörten Egipten zu Hülfe, seine Schiffe streifen schon bis Zipern, an Ziliziens Gestaden glänzen Zimons Waffen; die Zeit fordert dich gebietrisch auf.

Archeptolis. Zum Kriege?

Polieukt. Mit Artaxerxes?

Kleofant. Mit dem Vaterlande?

Archeptolis. Wie! diese Schmach zu erleben, hätt' uns Magnesia mit Brod versorgt?

Polieukt. Lampsakus mit Wein, um unser besser Bewußtsein zu berauschen!

Kleofant. Und die Lekkereien vou Mynus sollten unser Gefühl bestechen?

Neanthes. Dürfen die Jünglinge so, und so rasch sprechen?

Themistokles. Es sind Griechen.

Asia. Auch ich bin Griechin, Vater, obgleich in Persien gebohren.

Mnesiptoleme. Der Götter hohe Mutter sieht mit Wohlgefallen auf euch; doch nun — seht auch ihr auf den Vater —

Neanthes. Das Heer ist bewaffnet, und wartet nur deiner. Dir übergiebt es Persiens Herrscher mit dem heiligen Vertrauen des Gastrechts. Du bist gros; würdig seiner Sache zu dienen.

Themistokles (sich an den Altar haltend) Heil sei dem König für das Vertrauen — die Seele giebt und verdankt es ohne einen Blik auf die Sache.

Italia (zu den Brüdern) Wie der Vater bleich wird!

Neanthes. Du hast deine beleidigte Ehre zu rächen; haben sie dich nicht ausgestosen, wie einen Verbrecher? Der Diana Aristobule weihtest du Dankbarer einen Tempel, und die Abscheuliche nannten dich einen Lästerer des Vaterlandes, dich, seinen Retter!

Themistokles. Diana. Aristobule bleibt mir noch hold.

Neanthes. Die Träume des Pausanias genügten den hartherzigen Vergeßlichen, dich zu verdammen.

Themistokles (mit einem warmen Blik auf seine Kinder) Warum weilt' ich nicht länger an deinem Heerde, gutmüthiger versöhnter Admet!

Neanthes. Auf denn! zu Persiens Rettung, zu deiner Rache!

Polieukt. Der Vater wankt.

Themistokles (zu den ihn umringenden Kindern) Laßt', ihr Lieben — Themistokles steht fest.

Neanthes. Du zögerst?

Themistokles. Ich zögre nicht. Heißer Dank bindet mich an Artarerxes —

Neanthes. So folge mir.

Themistokles. Heiße Liebe an das — undankbare Vaterland.

Neanthes. Sie verlösche!

Themistokles. Mein Leben! (In Mnesiptoleme's Arme sinkend)

Mnesiptoleme. Opfernd nahm er freiwillig den Tod.

Die Söhne. Vater! — Held!

Die Töchter. Vater! — Grausames Vaterland!

Neanthes. Grofer Mann! das fürchtete Artaxerxes von deiner Gröse.

Archeptolis (warm; Neanthes Hand fassend) Dann ist er der grofe König!

Neanthes. Er wird euch Vater bleiben.

Polieukt (auf den Sterbenden, zeigend) Um ihn trauern unsere in ihm stolze Herzen! — O Vater Themistokles!

3

XI.

Des Dichters Kabinet.

„Der Dichtung heilige Magie"
„Dient einem weisen Weltenplane;"
„Still lenke sie zum Ozeane"
„Der grosen Harmonie."

(Die Künstler. Str. 29. V. 5-6)

Die Zauberinn Murmurine rief: Welcher meiner Geister kann mir ein schönes, süses Lied!

Alle Geister warfen sich demüthig, aber schweigend zur Erde. Daß ihr mir unterthan seid, sprach Murmurine herb lächelnd, weiß ich — nun will ich aber wissen, wer von euch singt.

Gebieterinn! wir lebten nur deinem Willen; er gab uns Thaten ein, auf das Lied dachten wir nicht.

So gedenket jezt seiner; wer mir binnen dreimal drei Tagen das schönste süfeste Lied singt, den erhöh' ich zur ersten Ordnung der Geister.

Alle Silfen, Salamander und Gnomen zerstreuten sich, vom Sturmwind' des Ehrgeizes getrieben, um schöne süße Lieder zu suchen.

Arnal sank in einem kleinen Blüthenparadis nieder; die Silberquelle murmelte durch Blumen, und erinnerte ihn an den Namen seiner Gebieterin — Aber, sagt' er seufzend, sie weiß nur zu murren; ihr rauher Ton gehört der Herrschaft, und sie — sie will ein schönes süßes Lied. — Doch stille, Arnal! füge dich dem hohen Willen der Gewaltigen; dein Gehorsam trägt dich zur ersten Ordnung der Geister aufwärts.

Er schwebte in den holden Schattengängen weiter; am lichten Endpunkt' sah er einen licht verklärten Tempel, zu niedlich für einen Gott, für einen gewöhnlichen Menschen zu schön zum Aufenthalte. Leicht die Schwingen lüpfend, beschleunigt' er das Schweben zum halben Flug', und trat nun in — des Dichters Kabinet.

Wer bist du? fragt' er ahnend den Jüngling mit dem Saitenspiel.

Der Jüngling berührte die Saiten; rührende Worte schwebten ihm von den Lippen.

3

Ha! du biſt ein Dichter!

Ungeſtört ſezte der Jüngling Saitenſpiel und Geſang fort.

Ich komme dich zu bitten ....

Innig ruhte des Jünglings Aug auf der Lichtgeſtalt, leiſes Säuſeln wohnte nur noch auf den mild geöffneten Lippen, und des Saitenſpiels Ton verklang unter der ruhenden Hand.

Um ein ſchönes ſüſes Lied.

Da wandte ſich der Seelenblik des Sängers gen Himmel, ſeine Wange erglühte ſanft, die Saiten gaben ihre Töne und ſeine Lippen ihre Worte zu der lieblichſten Verſchmelzung von Wollaut.

Arnal lauſchte noch, als der Jüngling ſchon lange geendet hatte; erſt wie dieſer die beredte Augen voll taſſoniſchem Genius auf ihn zurükwandte, ergoß ſich Bewundrung und Bitte. Lehr' mich dies Lied, fleht' er, o lehr' es mich! für meine Gebieterin!

Wie! deine Geliebte nennſt du ſo?

Nein! die hohe Fee Murmurine!

Sie! ihr das Lied!

I h r!
Gerne hätt' ich dir's für die Geliebte gelehrt,
doch für die Gewaltige lehr' ich dich's nicht.
Sie — ist furchtbar.
Ich gehöre dem Weltgeist, dem auch sie gehorcht.
Ihr Zauberstab —
Auch ich führe den meinigen.
Das fühlt' ich eben so köstlich — Sie gebot mir —
Ich hab' ihr nicht gehuldigt.
Die Erhebung zur ersten Ordnung der Geister ist
der Preis.
Verdien' ihn entsagend.
Wie?
Bleibe hier in süßer Freiheit geistigen Wirkens;
diene mit mir der hohen Weltordnung allein durch
das Schöne, und nicht mehr Murmurinens Wille,
dein eigner Werth weißt dir in ihr deine Stelle an.
Arnal sann. Ihr sollt' ich singen, flüstert' er,
weil sie es gebot: der großen Harmonie will ich
leben lernen, rief er begeistert, und ein Geist der
ersten Ordnung sein, nicht heißen!

XII.

Der Handschuh.

„Und die Treue, sie ist doch kein leerer
Wahn."

(Die Bürgschaft. Str. 20. V. 4)

Konradin v. Hohenstauffen. Erlösche Ho,
henstauffen!

Der Nachrichter. Entkleidet euch, Prinz.

Konradin (sich entkleidend, forscht
mit den Augen) Wo ist mein Hesso von
Falknach?

Der Beichtvater (ihn segnend) Der
Himmel empfang' euch!

Konradin (Hesso'n entdekkend) Hier!
(Wirft seinen Handschuh nach der Ge,
gend) Mein Erbe! (Kniet nieder)

Hesso von Falknach (den Handschuh
aufhebend) Mein Erbe!

Konradin (indem ihm die Augen ver,

bunden werden, innig) Teutscher Freund!

Volksgemurmel (Konradins Haupt fällt.)

Hesso von Falknach (küßt den empor-gehobnen Handschuh, in Thränen aus-brechend) Sein Erbe! zu dir, Jakob von Ar-ragonien.

Volksgruppe. Braver Teutscher! braver Freund!

———

XIII.

Lezter Labetrunk.

„Was unsterblich im Gesang soll leben,"
„Muß im Leben untergehn."

(Die Götter Griechenlands. Str. 16. V. 7-8)

Kleombrotus. Freund!

Eupolis. Grofer Mann, Stolz des Vaterlandes!

Kleombrotus. Du verschmähst unser Fest.

Epaminondas. Ich bin angeklagt —

Agis. Und wirst freigesprochen.

Epaminondas. Werd' ich das, so möcht' ich nicht vergessen, wie ich zu Hause lebe. Und werd' ich es nicht, so sei mein lezter Labetrunk nicht jener — des Bechers.

Ein Sklave. Der Perser verlangt dich zu sprechen, erhabner Epaminondas.

Epaminondas. Man hört dir an, daß du ein Sklave bist, und vom Persergespräche kommst. Er ist willkommen.

Sklave. Allein wünscht' er —

Epaminondas. Den Perser hört der Grie=
che am besten unter Griechen.

Eupolis. Und dieser Mann wird als Staats=
verbrecher angeklagt!

Kleombrotus. Vergiß nicht, daß der Feigste
am innigsten buchstäblicher Auslegung der Geseze
anhängt, wenn sie gegen Helden gilt.

Artabanes (eintretend) Edler Heerfüh=
rer der Thebaner, der grose König grüßt dich durch
mich, und sendet dir hier einige Andenken.

Die Freunde (erstaunt auf die von
Sklaven überbrachte Geschenke blik=
kend) Welche Pracht! Persiens Beherrscher be=
schenkt dich seiner würdig und deiner!

Epaminondas. Meint ihr? — Ich grüse
dich, Artabanes, und danke dem grosen König' für
deinen Besuch. Was will er mir?

Artabanes. Unter deiner Anführung ist The=
bens Kraft, Glanz und Ruhm zu seinem Gip=
fel gestiegen, hoch und schnell, wie die junge Mor=
gensonne auf dem hohen Mittagspunkt' ankommt.

Leuktra bezeichnete den Anfang der herrlichen Bahn; den Pelopones unterwarfst du, das tief gedemü= thigte Messene erhobst du wieder, dein Vaterland blüht in verjüngter Gröse.

Epaminondas (lächelnd) Du achtest mich sehr hoch, Artabanes, oder sehr gering, weil du Gold und Schmeichelei deinen Anträgen voraus= schikst.

Artabanes. Kann Epaminondas zweifeln? Der grose König wünscht sich das Bündniß mit ei= nem Volke, das von dir geführt, Wunder that. Er bittet dich, ihm dazu behilflich zu sein.

Epaminondas. Nimm Gold und Schmeiche= lei zurük. Ich bin sein Angeklagter —

Artabanes. Der vorübergehnden Wolke! des Neides achtet die Sonne nicht.

Epaminondas. Keine Wolke wird sie dulden. Liegt meines Vaterlands Heil in den Wünschen des grosen Königs, so bedarf es keiner Geschenke für mich, den treuen Sohn des Vater= landes: widerstrebt sein Plan dem Gemeinwol The= bens und meiner Pflicht, so ist der Könige König

69

zu arm, meine Stimme zu erkaufen.

Artabanes. Wenn es aber der Mißgunst gelänge, dich zu stürzen, so wiffe, daß in Perfien eine Freiftätte deiner wartet.

Epaminondas, (auf einen Afchenkrug zeigend) Hier ift die meinige.

Artabanes. Du wollteft — —

Epaminondas. Ich weiß im Kampf mit jedem Feinde zu fterben.

Egeus (ftürzt herein) Grofe Götter! Epaminondas ift verurtheilt.

Die Freunde. Zum Tode!

Artabanes. Schändliches Volk!

Epaminondas. Sei gerechter, Fremdling! es verewigt meinen Namen ach! auf feine Koften. Für feinen Ruhm hatt' ich — ich feh' es nun — zu lang' gelebt, indem ich den Tag bei Leuktra überlebte!

Der Oberrichter (feierlich) Epaminondas! du haft das Gefez übertreten.

Die Umftehende. Abfcheulich! O die Ruchlofe!

Oberrichter. Wer über Mondesfrift an der Spize der Truppen bleibt, ift fchuldig.

Umstehende. Unsere Freiheit war dahin, ge2
horcht' er dem alten Rufe.

Oberrichter. Du kanntest Gesez und Strafe
— dein Urtheil ist gesprochen.

Umstehende. Lazedämons verjährte Ketten
sprengt' er so schnell!

Artabanes (für sich) Ihr reift für die
unsrige.

Epaminondas. Das Gesez ist klar, mein
Verschulden liegt offen — nur das Vaterland ver-
theidige ich, nie mich selbst. Ein Wunsch bleibt
mir —

Alle. Sprich! Sprich!

Oberrichter. Laß' deine Bitte hören.

Epaminondas. Gönne mir Theben ein ehren-
volles Grabmal und die einfache Inschrift: "Epa-
„minondas verlohr das Leben, weil er die Freiheit
„der Republik erhielt!„

Gemurmel. Gros — wahr — o der Edle —
die Missethat — die Neider — Grose Götter!

Oberrichter (sich fassend) Scherzest du
mit dem Geseze?

Epaminondas (erhaben) War mein Leben Scherz?

Alles Volk. Heil! Heil dem Retter! Heil dir Epaminondas! Heil dem Sieger bei Leuktra! Vater unserer Freiheit! lebe! lebe! lebe!

Epaminondas (begeistert gen Himmel) Meine Bestimmung bleibt — ihr spart mich, o Götter, nur einem andern Tage. Ich habe genug gelebt, wenn ich mein Vaterland siegreich hinterlasse.

XIV.

Duldungsquell.

„Gleich verständlich für jegliches
Herz war die ewige Regel,"
„Gleich verborgen der Quell, dem
sie belebend entfloß."

(Der Genius. V. 27-28)

John Donne. Seid ruhig, liebe Mutter; der Wiz ist ein guter, wenn gleich nicht immer freundlicher Freund des Beßern im Leben.

Seine Mutter. Aber hat dich der König zum Dechant von St. Paul ernannt, um wizig zu sein?

J. Donne (lächelnd) Der König scheint ganz meines Sistems: so wie wizige Gedanken, gleich dem Meerwasser oder dem Steinsalz' allerdings Salz, aber auch noch etwas anders darneben bedürfen, welches solches enthält, ohne selbst Salz zu sein, so hat er den Dichter in den Dechant gefaßt, und wahrlich! beide befinden sich nicht übel dabei: der Dechant giebt dem Dichter ganz artig zu essen, und dieser bringt dagegen jenen zu Ehren.

Mutter. Gott sei dir gnädig! was du nur alles faselst! Zum Prediger hat er dich bestellt; zum Diener und Herold des heiligen Wortes.

J. Donne. Und predig' ich denn nicht, daß die Kirche wiederhallt? Möchte nur das Echo in den Seelen eben so laut sein.

Mutter, Immer fort! immer zu! der Gnadenquell höhlt Tropfen um Tropfen auch den hartnäkkigsten Felsen.

J. Donne. Da predigt Ihr ja dem Prediger, liebe Mutter.

Mutter. Nicht ihm, aber seinem unbekehrsamen Zwillingsbruder, dem Dichter.

J. Donne. Nun seht! Ihr erklärt sie selbst zu Zwillingen! Laßt immer unentschieden, welcher von ihnen der unsterbliche Pollux sein wird; jeder könnt' es sein; mögen sie nur unterdessen in schöner Wechselhilfe und Eintracht durch die Welt hausen.

Mutter. O deine Heidenbilder!

J. Donne. Denkt doch an die Utopia unsers grosen Ahnherrn Thomas More —

Mutter. Ach! hätt' er den Eid geleistet — —

J. Donne. Ihr wollt doch nicht sagen, so lebt' er noch! Und lebt' er wirklich noch, wäre das Leben ein solches Beispiel werth und solchen Ruhm! Durch die Mütter stamm' ich von ihm ab — laßt mir doch die Freude, daß auch Ihr ihn liebt, wie seine edle Tochter Katharine. Bewahrte sie nicht lebenslang das Haupt und die Werke des grosen Vaters in Silber gefaßt, als Heiligthum auf?

Mutter. Dafür sprach sie auch Griechisch und Latein.

J. Donne. Ich glaube von der mütterlichen Seite strömt das Dichter=Blut in mir — Ihr seid es, Euch dank' ich den Pollux in meiner Brust!

Mutter. Gott bewahr' uns vor solchem Scherz! Thue dein Amt und lasse den Fürwiz.

J. Donne. Ihr seid meine gute Mutter; ich versteh' Euch recht wohl, thut Ihr auch mir die Freude, mich nicht mißzuverstehn!

Mutter. Lieber Sohn, laß' nur den Geist mit Frieden.

J. Donne. Den Geist! eben das ist ja der helle Geleitsmann durchs Leben!

Mutter. Oft ein Erzgespenst!

J. Donne. Seht da! das war einmal selbst ächter Morischer Geist.

Mutter. Er wohnt oft ganz nahe bei der Narrheit, und nimmt die Thorheit nicht selten in seine Miethe auf.

J. Donne. Mag sein! Ihr würdet auch das Haus anzünden, dektet Ihr nicht am Abend die Glut auf dem Heerde.

Mutter. Darum ist es die Ordnung, die Regelmäßigkeit, die Vorschrift, welche mehr taugt; alles!

J. Donne. Ich begreife; Ihr meint die Kunst, und wir sind einig. Der Geist zeugt im Moment, die Kunst bildet lange: dem Vater genügt ein Augenblik, die Mutter bedarf neun Monden, und so wird der Keim zum Menschen, der Genieblitz zum Kunstwerk.

Mutter. Häßlicher Mensch! welche Dichter-Ungezogenheit! Wie man euch in eurem Sinne weh thut — gleich stecht ihr!

J. Donne. Darum heiſſen wir ja auch, troz den Weibern, das reizbare Geſchlecht. Viel Ehre für uns, den Titel unſerer Muſen und mehr als das, ihre Vorrechte zu theilen!

Mutter. Immer beſſer —

J. Donne. Sollte der Welt Gang ſein! Aber das reizbare Geſchlecht der Dichter würde gleich den Bienen den profaiſchen Schnäbeln keinen Honig zu ſchmauſen geben, hätt' es ſeinen Sta⸗ chel nicht: und da alles, was hienieden etwas werth ſein ſoll, auch ſeine Waffen haben muß, ſo laßt ihm in des Himmels Namen jene des Wizes un⸗ gefränkt, ihr Schnäbel, und ſchaft euch auch wel⸗ chen an, euch zu wehren.

Mutter. Da ſind wir nun wieder an der alten Stelle, Herr Dechant!

J. Donne. Hätt' ich nicht heute ſchon ein paar Epigramme gemacht, ich gäbe mich jezt an eines, um dem Dechant den Vorwurf auszuziehn, in welchen Ihr ihn hüllt.

Mutter. Dieſe Spize würde ſich gegen den Schleifer drehen.

J. Donne. So würd' ich ja gar ein Pfeudo, martirer.

Mutter. Zu Ehren der heiligen Regel.

J. Donne. So? Was belegt Ihr denn jezt so bestimmt mit diesem ehrenvollen Namen, liebe Mutter? Nehmt Euch ja vor dem Schiksal der Mönche in Acht. — sie nennen ihre Sazungen so, indessen sie unbarmherzig auf die heiligste Urregel der Natur los arbeiten; gerade wie die Weltdamen ihre Schminke loben, und über — rothe Wangen schmähen.

Mutter. Ich meine eben das, was du vorhin Kunst nanntest.

J. Donne (in die Hände klopfend) Herrlich! treflich! welche Freude Ihr mir macht! Genau so muß Euch zu Muthe gewesen sein, als ich, Euer hoffnungsvoller Sohn, nunmehriger Dechant-Dichter und Dichter-Dechant (o wär' ich das lezte, dann säß' ich neben Homer!) zur Welt kam!

Mutter (lachend) Etwas Wahnsinn muß man euch Dichtern zu Gute halten.

J. Donne. Auch ein nicht zu verachtender

Vorzug, mit welchem — der Dichter etwa sein Kostgeld bezahlen könnte.

Mutter. Wenn du nur vor poetischen Seitensprüngen dazu kommen könntest, so möcht' ich wohl wissen, woher deine große Freude von vorhin?

J. Donne. Eitel Eigenliebe, Mutter! aber von der guten Art! Ich fühlte mit Wonne, daß mein Geist die Ahnung bestätigte, welche mein Herz von Eurer Ansicht und der Quelle Eurer Vorwürfe hatte.

Mutter. Nun?

J. Donne. Euer eigen Herz giebt Euch Auskunft.

Mutter. Es will die Sprache dieseßmal von dir entlehnen.

J. Donne. So sei's. Die Liebe des Guten waltet in Euch, Ihr empfindet die Giltigkeit und den Werth der Regel: das Heilige soll gelten, wollt Ihr, ohne zu wissen, wie? ohne zu sagen, warum? Das Wahrhafte und Dauernde schwebt Euch vor, wie dem schlummernden Kind' der Engel.

Seht, und so sind wir einig, ohne uns erst ver=
einen zu müssen. Mein Witz holt sich Kraft aus
dem verborgnen Borne, wo Eure Empfindung
schöpft; der ewigen Vorschrift hebt sich Euer Seuf=
zer, wie mein Pfeil.

Mutter. Glaubst du?

J. Donne. Glaubt mir kühnlich nach! Und
seid froh und ruhig! Mag doch jeder, vom an=
dern ungestört, die Säule seines moralischen Da=
seins suchen und wählen; das Patronat — merkt
auf, liebe Mutter, es sagt's ein Dechant — das
Patronat des sittlichen Himmels sei frei, wie das
des Heiligen=Himmels!

XV.

Das Räthsel.

"Gern erwählen sie sich der Einfalt
kindliche Seele,"
"In das bescheidne Gefäß schliesen
sie Göttliches ein."

(Das Glük. V. 21 - 22)

Freudig kehrte Solon vom Marktplaze zurük. Eben hatt' er den feierlichen Eid des Volks em, pfangen, daß seine Geseze hundert Jahre hindurch treu beobachtet werden sollten.

Theile mein Vergnügen, rief er der schönen Kleobuline, seiner Freundin zu, in deren Gemach er mit strahlenden Augen trat.

Dank dir, weiser Solon, für diese Aufforderung, erwiederte Kleobuls liebliche Tochter. Du weißt, wie sehr dein Wort mir Gesez ist; doch ein angenehmeres weiß Ich nicht zu empfangen, als das, mich mit dir zu freuen.

— Er saß nun neben ihr; die schöne Hand lag in der Hand des Weisen, dessen frohes Aug' im sanften Mädchenauge las; schwer schien zu entscheiden, wer hier Gesezgeber sei, doch leicht, daß beide glüflich waren.

Und was ist dir wiederfahren, lieber Solon? unterbrach Kleobuline die ziemlich lange Pause.

Solon drükte die schöne Hand, und flüsterte: Ich danke dir für dein freundliches Schweigen; es that mir wohl, meines vollendeten Werks in der Nähe deines theilenden Bewußtseins zu geniesen, ohne die schnelle Verständigung der Worte. Nun folge sie! die labende Frucht folgt so schön der ergözenden Blüthe.

Ich habe, fuhr er sich sammelnd fort, ich habe, liebe Kleobuline, nun den Schlußstein auf meine Gesezgebung gepaßt.

Und es gelang dir?

Ich fühle mich beruhigt. Du weißt, welche Last ich übernahm, als ich, von der Wonne des Reisens zurükkommend, das Vaterland durch den Streit über die Formen seiner Verfassung zerrissen fand.

Wie ein guter Sohn am Krankenbette der Mutter,
so trauert' ich; die Brüder machten mich zum Ar-
chonten und Arzte. Den Armen erleichternd, die
Schuldenlast mindernd, der Menschlichkeit Rechte gegen Drako's Blutgesez in Schuz nehmend, gab ich
den Reichen die Würden und Aemter, den minder
Bemittelten das Recht, dazu zu berufen: ein schönes Gleichgewicht begrenzte Kräfte und ihren Gebrauch.

Du ändertest um zu bessern.

Die Abändrung der Gesetze, schöne Kleobuline,
ist nicht der Willkühr des Gesetzgebers überlassen:
darinn scheidet sich — Solon lächelte — die Staats-
welt von der schönen. —

Kleobuline gab ihm das Lächeln zurük, und der
Weise fuhr fort: Das Gesez der auf allgemeine
Wolfahrt gegründeten Nothwendigkeit ist sein eignes; ihm muß er gehorchen, indeß er andern
gebeut. Weder Neigung noch Leidenschaft, weder
Eigenliebe noch Grille dürfen ihn beseelen oder ent-
geistern — Wahrheit allein ist seine Göttin. Ihr
folg' ich, des giebt mir mein Bewußtsein Zeug-

niß. Nun haben mir die Athener hundertjährige
Treue gegen mein Werk gelobt, und ich reise.

Du reisest? rief Kleobuline betroffen.

Mit dir, wenn du willst. Dieser Vorschlag be-
gleitete mich zu dir.

Du wolltest also nicht selbst Zeuge sein, wie die
Athener ihr Gelübd' erfüllen?

Ich denke, sie erfüllen es freier und gewisser,
wenn ich ihnen vertraue. In ihrem Innern soll
der Hüther ihres Wortes ruhen. Auch hab' ich
ihnen meine Abreise schon verkündet — sie glauben
— denn meine wahre Absicht dürfen sie nicht wissen. soll sie erreicht werden — daß mich Handels-
geschäfte auf die See führen.

Und du willst — — ?

Vorerst nach Egipten gehn. Dort liebt man deine Räthsel so sehr, schöne Kleobuline! Begleite mich,
oder ich dich nebst deinen Räthseln liebe.

Kleobuline lächelte, wie nur sie zu lächeln wußte.
Es sei, sprach sie freundlich — ich gehe mit dir,
wenn du mir vor her noch ein Räthsel lösest.

Freundlich mit dem Kopfe nickend, sprach Solon: Ich harre seiner.

4

Was ist's, das alle Welt begehrt, und jeder
Einzle flieht? wozu der Geist die schönste Blühten treibt, die stets der Körper höhnisch tilgt?
Was ist's, das in zertrümmerten Jahrhunderten
erdvend wohnt, und eigner Ordnung Werk den
Trümmerliebenden schadenfroh Preis giebt? stets
wiederkehrend ankommt' um zu fliehn, und fliehend sich nach einer sichern Heimath sehnt? Was
ist's? Die Regel geht mit festem Stab zur Seite, und in der Göttin Händen klirrt die Kette
für die Willkühr, doch schlüpft die Ausnahme schnip-
pisch zwischen die Heroenschritte, und fesselt leicht
den Fus, und fesselte gern die Hand. Aber der
Götter Wille erhält ihr Freiheit, wenn er auch dem
stolzen Menschensinn' den Lorber nimmt, nach dem
er ringt, indeß' er nur den Olimpiern gebührt.
Was ist's, du weiser Mann? du kennst und übst
es aus, doch widerstrebst auch du der Götter Willen nicht!

Kleobuline, rief Solon — dein Räthsel ist —
die Gesezgebung.

Weil du von ihr herkommst, wie von der Geliebten, denkst du ihrer — Sie ist's n i ch t.

Solon dachte und forschte: lächelnd sah die Freundin dem siebenten der Weisen Griechenlands zu, und flüsterte dem nimmer Errathenden zulezt leise zu: Ich gehe darum doch mit dir nach Egipten, wenn du schon die Saat des Wirkens nicht ausfandest.

4 *

XVI.

Gaben.

„Nimmer, das glaubt mir,"
„Erscheinen die Götter,"
„Nimmer allein."

(Dithlrambe. Str. 1. B. 1-3)

Vulkan (vom Olimp auf Lemnos herabfallend) Das heißt Minerva's egoistische Geburt noch egoistischer auf meine Unkosten rächen. (Sich erhebend) Wo bin' ich denn? (Er hinkt) Vater Zevs! vergilt mir am Geiste, was du mir an Behendigkeit der Füße nahmst. — Habt Dank, ihr guten Lemnier, daß ihr mich gastfreundlich auffienget — habt Dank!

Volk von Lemnos (froh) Hefaestos! Willkommen! Sei uns gegrüßt, der hohen Juno Erzeugter!

Vulkan. Ihr seid ein braves Volk — bei euch will ich bleiben.

Volk von Lemnos. Sei uns gegrüßt, Hefaestos; sei unser Schuzgott.

Vulkan. Meine Werkstätte sei in eurer Mitte;
Jupiters Blize sollen von euch aus, zum Olimp gehn.

Volk von Lemnos. Gepriesen sei Hefaestos,
der Flammenbeherrscher!

Vulkan. Und seinen Zepter soll er hier holen.

Volk von Lemnos. Heil und Ruhm dem
König der Glut!

Vulkan. Apolls Sonnenwagen und die Drei-
füse in den Speisesaal des Olimps, das goldne
Halsband der jungfräulichen Harmonia und die Waffen des Herkules, meiner Mütter Sessel und Aria-
dnes Krohe, alle die Wundergaben meiner Kunst,
bei euch sollen sie werden.

Volk von Lemnos. Dank! Dank dir und
Preis, Hefaestos,

Vulkan (f. s.) Von der Pandora sag' ich
ihnen nichts; die geht ja nur ihre Enkel an.

———

XVII.

Die acht Gesellen.

„— Ohne die Leier im himmlischen
Saal"

„Ist die Freude gemein auch bei'm
Nektarmahl."

(Die vier Weltalter. Str. 1. V. 5-6)

Damon der Sofist. Bei den Göttern, wenn
das Perikles sähe, er verlangte mir ferner keinen
Beweis für meine Lehre!

Agathokles. Laßt den Chier herumgehn,
Freunde!

Lisias. Frische Blumen her!

Kriton. Wer sollte glauben, daß die schöne
Kinder des Frühlings so schnell an der Freude welk=
ten!

Perillus. Evan! Evoe! Er sei gepriesen,
der große Freudengeber!

Kleon. Und unsre kleine Bachantinnen auch!

Biton. Wo sind sie denn, die niedlichste der Mänaden?

Dio. Horch! Horch! der Flötenton säuselt vor ihnen her!

Kleon. Evan! Evoe! die süße frigische Flöte!

Perillus. Wahrlich des erstgebohrnen Volks der Erde würdig.

Damon. Vergiß nicht, Freund, daß manche dies Volk auch für das dümmste erklären.

Kleon. Mit solchen Zaubertönen? Unmöglich!

Kriton. Und wenn auch! Ich geb' euch alle Eulen Minerva's um die kleine holde Ton-Zauberin!

Agathokles. Guter, lieber Damon! blik' nicht so ernst! Sieh! du bist der achte zu unsrer frohen Zahl; wir fühlten, daß wir, eben sieben stark, höchst unschiklich an Griechenlands Weisen erinnerten, da wir Arme von ihnen nichts als die Zahl haben, und so baten wir dich, als den einzigen Weisen, zum König unsers Festes. Nun sei auch der König der Freude — bei der Minerva selbst! das ist ein schöner Thron, auf dem solch ein Monarch sizt: der einzige, welcher dem Athener behagt.

Damon. So berieft ihr mich denn zu der Freude der Auserwählten?

Alle. Ja! Ja!

Damon. Aber kennt ihr sie auch?

Agathokles. Welche Frage!

Damon. Hört meine Antwort!(Er nimmt die Lira und singt zu ihren Tönen)

Freude, schöner Götterfunken,
    Tochter aus Elisium,
Wir betreten feuertrunken
    Himmlische, dein Heiligthum.
Deine Zauber binden wieder,
    Was die Sitte streng getheilt,
Alle Menschen werden Brüder,
    Wo dein sanfter Flügel weilt. *

Agathokles. Dank! Dank! herrlicher Damon!

Kleon. Er tritt schön in sein Reich ein, der König des Fests!

---

* Schiller: An die Freude.

Lifias. Nun genug der ernsten Töne!

Biton. Die frigische Flöte wieder:

Dio. Die kleine Mänaden!

Lifias. Und, den Becher mit Rosen umkränzt!

Agathokles. Der Becher geh' herum, doch noch schweig' die Flöte, bis unser Damon vollendet hat!

Perillus. Wie! ihr wolltet den Schöpfer des Rhitmus nicht hören? den Ton=Zauberer? Dann würde niemand euch glauben, daß ihr Griechen waret in Perikles schönem Zeitalter, und Lebensgenossen seines herrlichen Lehrers.

Damon (die Saiten rührend)

> Wem der grose Wurf gelungen,
>> Eines Freundes Freund zu sein,
> Wer ein holdes Weib errungen,
>> Mische seinen Jubel ein!
> Ja — wer auch nur eine Seele
>> Sein nennt auf dem Erdenrund!
> Und wer's nie gekonnt, der stehle
>> Weinend sich aus diesem Bund!*

---

* Ebendas.

Agathokles. Der König des Festes lebe!

Alle. Ihm sei dieser Becher geweiht!

Dio. Ist mir doch, als sei dieser Saal zu einem kleinen Tempel geworden!

Lisias. Und etwas Göttlichers in uns, erwacht!

Biton. Die Stimme der Weisheit tönt lieblich · —

Perillus. In die holde Melodie der Töne.

Agathokles. Hast du geendet?

Damon. Ich möcht' euch den süßen frigischen Klang nicht zu lange vorenthalten.

Kleon. O den üppigen!

Kriton. Wir vermissen ihn nicht mehr.

Alle. Lehrer des Perikles! unser Lehrer! wir horchen!

Damon. So gehorch' ich denn euerm liebevollen Vertrauen (Spielt und singt)

Was den großen Ring bewohnet
Huldige der Simpathie!
Zu den Sternen leitet sie
Wo der Unbekannte thronet:
Schließt den heil'gen Zirkel dichter,

Schwört bei diesem goldnen Wein,
Dem Gelübde treu zu sein,
Schwört es bei dem Sternenrichter! *
A l l e. Urania sei uns heilig! heilig die h i m m=
l i s ch e Lust!
A g a t h o k l e s (D a m o n u m a r m e n d) Und
du seist es uns, olimpischer Priester!
B i t o n. Schikt die Mänaden hinweg;
L i s i a s. Wir haben ihrer vergessen.
P e r i l l u s (l ä ch e l n d) Laßt sie ruhig — die
Götter sehn unsern Sinn, und wissen es allein,
ob nicht einst unedlere Priester und Priesterinnen
dem hehren Damon den Ostrazismus zubereiten.
D a m o n (e r g r i f f e n f. f.) Dichtung und
Tonreich! umhüllt schirmend mein Innerstes! (E r
g r e i f t i n d i e S a i t e n, u n d f i n g t)
Dem Ge übde treu zu sein,
Schwör' ich bei dem Sternenrichter!

---

* Ebendaf.

XVIII.

Das Marmorbild.

„Willst du in meinem Himmel mit mir
leben,"

„So oft du kommst, er soll dir offen
sein."

(Die Theilung der Erde. Str. 8. V. 3 - 4)

Don Gonzalez (vor einem Fußgestelle)
Morgen! Morgen! O ich kann den frohen Moment
kaum erwarten, da deine Bildsäule hier prangen
wird, genialischer, verfolgter, verhungerter Zervantes!

Ein Unbekannter (sich zu ihm gesel-
lend) Man hat manchem ein Marmorbild gesezt
der vor Ruhm und Hunger starb; man gab ihm
da mit höchster Konsequenz nach dem Leben, was
man ihm auch während des Lebens ließ — Steine an Brodes Statt.

D. Gonzalez (lächelnd) Wiziger Unbekannter! Ihre Bekanntschaft freut mich.

Unbekannter. Analog ist also das Denkmal der Enkel wenigstens der Vernachläsigung der Väter. Eine wolthätige Stiftung für noch Lebende, welche der Genius wieder in die Gefahr des Verhungerns bringt; eine irrdische Hippofrene für die wagehalsige Jünger der grosen Todten, allenfalls mit dem aufmunternden Namen dieser geschmükt, wäre Denkmal und Sühne zugleich.

D. Gonzalez (höflich) Eine vortreffliche Idee!

Unbekannter (ihn betrachtend) Die auch an der Bewundrung stirbt, wie mir scheint. —

D. Gonzalez. Wir fanden eben in unserm edlen Neukastilien eine herrliche Marmorader. Wem könnten wir ihre Erstlinge stattlicher und gerechter widmen, als dem grosen Manne, der unser Mitbürger war, und durch seine unsterblichen Werke der Bürger aller Zeitalter wurde?

Unbekannter. Ganz recht! wir thun uns viel auf inländische Marmoradern zu Gute — fließt aber auch in unsern Adern das Blut, welches sich ihre Ausbeute zu Denkmalen verdienen wird?

D. Gonzalez. Wenigstens wollen wir — in Erwartung unserer Zukunft — gegen die grose Vergangenheit gerecht sein. Mir ist's, bis unser Miquel Saavedra an der Ahnen Undank gerächt ist, als sei ich in der Marterkammer.

Unbekannter (ernst) Die Marterkammer des Schwachen wird sein eigen Herz — Ist Alkala de' Henares auch Ihr Vaterland, Sennor?

D. Gonzalez Ich bin so glüklich, Zervantes Vaterstadt die meinige zu nennen —

Unbekannter. Und Ihr Beruf?

D. Gonzalez. Ich bin Arzt.

Unbekannter. Das sollte auch er zuerst werden.

D. Gonzalez. Ich war einige Zeit Leibarzt bei dem Erzbischoff von Toledo.

Unbekannter. Auch er war ja Kammerdiener bei dem Kardinal Aquaviva.

D. Gonzalez. Der einzige Kammerdiener in seiner Art! — Dann fühlt' ich mich zu größerer Thätigkeit berufen, und gieng als Feldarzt mit in den Krieg.

Unbekannter. Welch treue Paralellinie mit seinem Leben! Auch er verließ das Vorzimmer, um im Kampfe — seine Hand zu verlieren. — Sie erhielten sich beide?

D. Gonzalez. Gott sei Dank, um meine Schuld zu bezahlen.

Unbekannter. Zervantes that das mit der Rechten allein.

D. Gonzalez. Er bezahlte nicht, er lieh aus — Er ist unser großer Gläubiger; der meinige insbesondre.

Unbekannter. Gab er Ihnen frohe Stunden — o dann ist ihm reichlich vergolten.

D. Gonzalez. Zur Seite der frohsten Stunden, die er mir gewährte, wandelten bittere — Ich bin — Avellaneda's Enkelssohn.

Unbekannter. Der Enkelssohn Avellaneda's! War das nicht Don Quixotte's unberufner Fortsetzer?

D. Gonzalez. Die Missethat ist ....

Unbekannter. Von Saavedra - Zervantes selbst gewiß längst vergessen.

D. Gonzalez. Von den Folgaltern selbst
bitter gerügt —

Unbekannter. Don Quixotte hat Lerma's
Unwillen überlebt, und ergözt beide Kastilien. Was
fehlt noch?

D. Gonzalez. Das Denkmal — meiner En-
kelstreue in des Ahnherrn Seele.

Unbekannter. Auf die Marterzeichen halten
unsere Neu = Martirer mehr, als die alte auf die
Martern selbst hielten.

D. Gonzalez. Möglich hab' ich dies Denkmal bei beschränkten Kräften gemacht — wirklich
wird es morgen.

Unbekannter. Wer bei beschränkten Kräften alles leistet, was sie vermögen, hat die Schuld
redlich abgetragen, welche ihm seine Geburt auf-
legte, und heißt mit Recht ein — nüzlich biederer
Mann — (Ihm die Hand drükkend) Sie
sind es! Aber es bedarf dessen nicht hier!

D. Gonzalez. (betroffen) Wie!

Unbekannter. Der Genius ist überall zu
Hause, und wohnt in jeder Form, immer reich —

weder Fesseln noch Konvenienz vernichten ihn; hem,
men mögen sie sein Wirken, decken die Flamme,
doch den Himmelsfunken löschen sie nicht. Nur sein
Stiefbruder, das Talent erliegt den Hindernissen.
(Ihm nochmal die Hand drückend) Sie ha,
ben vergolten, was Zervantes vergessen; Avellane,
da's Enkelssohn hat vergolten. (Indem er als
Zervantes erscheint) Des Dichters Himmel
liegt in seiner Macht; willkommen ist ihm darinn,
wer ihn theilen kann und mag! (Verschwindet)

XIX.

Der Augur.

„Du willst Wahres mich lehren? Be=
mühe dich nicht, nicht die Sache"
„Will ich durch dich, ich will dich durch
die Sache nur sehn."

(An ***. Schillers Gedichte. 1. B. S. 306)

Mit stillem Triumf sah der weise Tarquin auf
den — nicht verlegnen Augur, welcher den über=
raschenden Kiesel ruhigen Bliks in einer Hand wog,
während er mit der andern das Scheermesser öffne=
te. Alle Väter, alles Volk stand in stillem An=
staunen um die sinnige Gruppe

Jezt erschallte ein mächtiger Schrei des Erstau=
nens aus hundert Kehlen; der harte Stein war
durchschnitten, mit stillem Triumf gab der Augur
beide Hälften und das Messer dem — nicht verleg=
nen König zurük, welcher die Trofäen mit leise lä=
chelnder Miene in sein Gewand hüllte, während er
leicht über die Stirne strich.

Weifer Akzius Nevius, sprach er dann, laut kun,
de der Nachwelt eine metallne Bildsäule, welche
Gaben dir die Götter verliehen!

Etwas mürrisch beugte der Augur den Kopf in
leichter Dankbewegung.

Würdiger Akzius, fuhr der König mit büthendem
Seitenblik fort; künftig sei allen, Auguren das lan,
ge, Haupt verhüllende Ehrengewand, der heilige
gekrümmte Stab, dieser Bezeichner der Zukunfts,
bahn verliehen; eine, hehre Seherzunft bilde die
Versammlung der Weisen, und alles Volk ehre
sie mit Andacht.

Milder schauend, kreuzte der Augur die Hände
dankend über der Brust.

Erhabner Akzius, fiel der König wieder mit star,
ker Stimme der Weihe ein, indem sein Schauer,
blik vom lauschenden Aug des Zuhörers mit der
innersten Kunde zurükschwebte; bei Volksversamm,
lungen, bey Erwägung des vaterländischen Heils,
und wenn die Wahl der Quiriten ihre ovrigkeit,
liche Würden vertheilt, dann soll die hehre Seher,
zunft unter deiner Leitung die himmlische Zeichen

beachten, nnd der Götter Willen, ihre Genehmigung, ihr Mißfallen aus ihnen lefend, uns die Rathfchlüffe der Unfterblichen verkünden.

Mit ftrahlenden Augen, dämmernden Wangen und freundlichen Lippen nahte der Augur dem Kö, nig, und fprach: Die Götter feien gelobt; laß uns zum Opfer gehn. Und der weife Tarquin gieng zum Opfer, und dachte lächelnd feines grofen Sieges an den Ufern des Anio.

_____

XX.

Ungenius.

„Was kein Ohr vernahm, was die
Augen nicht sah'n,"
„Es ist dennoch das Schöne, das
Wahre!" .
„Es ist nicht draussen, da sucht es
der Thor,"
„Es ist in dir, du bringst es ewig
hervor."

(Die Worte des Wahns. Str. 5. V. 3 - 6)

Sollah. Wie herrlich ich arbeiten würde,
dürft' ich nur nicht bei Tage sizen! Am Licht der
Sonne wollt' ich Ideen sammeln, und sie dann
in verschwiegner Dämmerung magisch verschönert
wieder gebähren. Aber hier! hier an dem dürren
alltäglichen Schreibtisch' dehn' ich mich fruchtlos und
unfruchtbar — hinweg! hinweg!

Dämon (ihn nach einer Wundergrotte entzükkend) Bist du zufrieden?

Sollah. Köstlich! herrlich! hier werd' ich mich
ausſprechen! — Wer bist du?

Dämon. Noch zur Zeit dein guter Dämon.

Sollah. So hab' ich denn einen?

Dämon. Freu' dich nicht zu ſehr — an der
Schwelle ewiger Nacht ſiehſt du mich wieder (ver-
ſchwindet)

Sollah. Warum wollten ſie mir denn meinen
Genius abſprechen? — Izt will ich ihnen ſein
Daſein beweiſen (Sezt ſich) Es wird doch gar
zu ſchnell dunkel! Ein paar Wachskerzen würden
mich mit ihrem milden Schimmer erleuchten und
begeiſtern zugleich.

Flötenton (von fernher; zwei Kerzen
entzünden ſich vor Sollah.)

Sollah. Zum Entzükken! den Flötentönen,
den ſüſen will ich bei'm wankenden Silberlicht nach-
ſchweben (Schreibt; die Töne verſtummen.
Pauſe der Mühe) Grade hell genug machen
die dünnleibige Kerzen, um das traurige Grotten

dunkel zu zeigen — Licht, den Schatten zu verdik-
ken! Da muß unrettbar jeder Geistesfunke im
Aufglimmen erlöschen — (Pause) Nein! das
halt' ich so nicht aus. Ein vollflammender Kron-
leuchter strahle mir, von der Decke herab!

Lautenton (aus der Ferne; ein Kron-
leuchter strahlt)

Sollah. Wunder! schönes, holdes Wunder!
und für mich! Verweilt ihr himmlischen Töne, daß
ich euch hier im genialischen sichtbaren Nachhall hef-
te! (Schreibt; die Töne verklingen all-
mählig. Zweite mühvolle Pause) Den
Göttern sei's geklagt! Liebt oder äfft man mich
hier? herrscht in dieser Wundergrotte ein gütiger
Geist oder ein Geizteufel? Warum reichen denn diese glänzende Armleuchter vergeblich nach den man-
gelnden Kerzen? Herbei damit! die vervielfachte
Flamme spiegle sich im Kristall, und ein Funken-
meer umwoge mich aus strahlenden Feuerwellen!

Gesang (fernher, die Wandleuchter
brennen)

Sollah. Wonne! o Wonne der Wonnen! wahrlich! der Dämon ist mein, und ich bin — was

schwazte das armselige Gesindel dagegen? — ich bin ein leibhafter Genius! ich bin's! her mit der Begeistrung, du schwebender Engelsgesang! (Schreibt; der Gesang wird leiser) Halt! Halt! (eilig schreibend) nicht so schnell dahin! laßt dem Genius Zeit, ihr Engel! — (immer hastiger) Nur sinnig! nur gemachsam! ich weis ja selbst nicht mehr, was ich schreibe—(der Gesang hat aufgehört) Hin ist's — (Müh'pause) Die gerechte Götter wissen, wie das zugeht! — (Um sich her schauend) Aber ist's doch auch unerträglich! dem Tag entfloh ich, und nun ist er wieder mit seiner ganzen eingebildeten Zudringlichkeit um mich her, und erwürgt mir den Genius mit heißen Lichtfäusten. Eine argandische Lampe! He! Wozu sind denn nützliche Erfindu.... wenn sie dem Geiste nicht dienen? — He! eine argandische Lampe! sie ist Alles in Allem — verschmilzt in sanfter Mischung dunkel und hell — vermählt Tag und Nacht — (sich umsehend) Nun? wird es bald, Grotten-Dämon?

Lautes

Lautes Gähnen (von allen Seiten, alle Lichter erlöschen)

Sollah. Was ist — was ist das? Grottendä= mon! ich fürchte mich — Ungeheuer zischen, Dun= kel liegt über mir —

Dämon. In dir! An der Schwelle ewiger Nacht siehst du mich wieder.

Sollach. Ach! ich höre dich nur!

Dämon. Schlummre nun! dir frommen nicht Tag, nicht Dämmerung, Nacht und Kerzen und Lampen frommen dir nicht — der Ungenius hält dich bleiern umfangen; lern' affern oder schlummern!

Sollah. Wie! ich affern! ich ein Genius! ein leibha er!

Däm Bähle schnell.

Sollah (gähnend) Ich schlummre—Arbeit thut weh!

———

XXI.

Seelenpflege.

"Nur an des Lebens Gipfel, der Blume zündet sich neues"
"In der organischen Welt, in der
empfindenden an."
(Das Belebende)

Der Schach. Denke dir Weffir, die Tollheit
deiner Leute.

Der Weffir. Erhabner Gebieter! ich hoffe
nicht . . .

Schach. Dein Glük, das ich dich beffer kenne,
sonst dürfteft du fürchten —

Weffir. Diese Hände leiteten deiner Kindheit
Schritte, dieses Haupt trug die Sorgen des Reichs,
während du harmlos heran wuchsest — dich fürcht'
ich nie, denn ich liebe dich, und glaub' auch an
deine Liebe.

Schach. Du hast Recht. Aber eben von der
Liebe gieng alles aus —

Weffir (lächelnd) Wo wäre etwas, das nicht
von ihr ausgienge?

Schach (ihn lebhaft umarmend) Oder zu ihr zurükkehrte! O herrlicher Mann! dacht' ich's doch, und darum wend' ich mich an dich.

Weſſir (immer noch lächelnd) Dein Feuer beweißt mir, daß Liebe im Spiel iſt.

Schach. Im Spiele nur! guter Weſſir, nur im Spiele! Nein, nein — glaube mir, hier gilt es vollen, innigen Ernſt.

Weſſir. Ich höre.

Schach. Deine Leilah —

Weſſir (aufmerkſam) Meine Tochter?

Schach. Sie! (Im Entzüffen) Sie, die Blüthe der Schönheit, himmliſch und bezaubernd anzublikken, ſie hat mich gefeſſelt, ſie ließ ich heute abholen, ſie verweigerten mir deine Sklaven.

Weſſir. Nun haſt du Recht, erhabner Gebieter! nun wird die Sache ſehr ernſt.

Schach. So erwart' ich denn die Huldin von dir!

Weſſir. Wann — wo — geſtatte mir die wenige Fragen — wo ſahſt du ſie? wann erſchien die Einſame dem Blik des Herrſchers?

5 *

Schach. Ein Zufall zeigte mir den verborgnen Schatz — die Erzählung ist lang, der Augenblik der flüchtigen Erscheinung war kurz — Erlaß' mir das alles, und gewähre.

Wessir. Darf ich dich durch deine Gärten nach meiner Wohnung begleiten.

Schach. Herrlicher Mann! ja, das bist du! Auf! laß' uns nach deinem Himmel fliegen — (Er faßt ihn unter den Arm)

Wessir. Du siehst ihn mit jugendlichem Aug'.

Schach. O möcht' ich ewig Jüngling bleiben, wenn mir immer solche Engel erschienen!

Wessir (im Gehn, s. s.) Der Herr der Herrn schütze die Engel und dich.

___

Schach. Wie ist mir denn, Wessir? Mir däucht, daß wir auf einen Umweg geriethen!

Wessir. (s. s.) Als Schach darf er nicht Ab, weg sagen.

Schach. Du schweigst?

Wessir. Ich sehe mich um; deine Gärten sind so weitläufig

Schach. Wie mein Reich, meinst du vielleicht?

Ja darum verirren wir uns auch manchmal in beiden.

Wessir (f. s.) Offenherzig genug — ha! da seh' ich ihn endlich, den verwünschten Schleicher!

Schach. Bist du noch immer nicht im Klaren?

Wessir. Dort seh' ich deinen Obergärtner Hali erhab'ner Gebieter; seine Leitung wird uns bald auf den rechten Pfad führen.

Schach. Steh' auf, Hali, steh' auf, zeig' uns den Weg nach des Wessirs Pallast. Ist's weit dahin?

Hali. Nun — nah eben nicht — doch will ich dich den kürzesten und zugleich lieblichsten Weg füh‐ ren —

Schach. Ueber Dornen ist der kürzeste mir jezt lieblich.

Hali. Durch das Herz meiner Baumpflanzun‐ gen, grosser Schach.

Schach. Da wären wir ja schon mitten inne‐

Wessir. O die herrliche köstliche Blühten — wel‐ che Würze, welcher Duft, welche Wonne! Herr, nur einen Augenblik —

Schach. Schön — prächtig — doch genug —

Wessir. Hieher noch, erhab'ner Gebieter —

welche Farben, welche Glut, welcher Geruch! der Himmel scheint sich zu öffnen —

Schach. Wessir! denke meines noch verschlossnen Himmels.

Wessir (in Gedanken versunken) Hali! ich beneide dich!

Hali (zufrieden lächelnd) Thust du das mächtiger Wessir? Ja — ja — (streicht den Bart) doch tausch' ich nicht —

Schach (ungeduldig) Wessir!

Wessir (lebhaft) Ein Gedanke Herr!

Schach (aufbrausend) Nichts gegen meine Gefühle — Fort von hier!

Wessir. Ein Wink von dir macht ihn zur süßen, willkommen Wirklichkeit für die, zu der wir gehn.

Schach. Sprich! sprich!

Wessir. Ein paar Vasen würden die holde Auswahl dieser köstlichen Blühtenfülle in sich fassen; dein treuer Hali ruft einigen Sklaven, in wenigen Minuten ist die Sache geschehen. Die Vasen begleiten uns — meine Leilah liebt Blumen und Blühten unaussprechlich.

Schach. Leilah liebt sie unaussprechlich! Auf,

Hali! und thue wie der Weſſir ſprach!

Hali (wirft ſich zu des Schachs Füſen)
Herr! o Herr!

Schach. Gehorche!

Hali. Laß' mir das Haupt abſchlagen —

Schach. Thor! das kann geſchehn, wenn du
ſäumſt —

Hali. Nur ſchone meiner Blühten!

· Schach. Alter!

Hali. Herr! ſchone, ſchone meiner Blühten!
ſie enthalten den Keim künftiger Früchte, und Blühten, und Schatten — ſüſe Hoffnung hüllen ſie
lieblich ein — Genuß der Vollendung wohnt in ihnen — ſie ſind mein Alles.

Weſſir (neben Hali niederfallend) Herr
ſchone, o ſchone meiner Blühte! Was ihm dieſe
hier ſind, das iſt Leilah mir — O Herr! deine
Blühte pflegte und hüthete ich — ſchone der meinigen.

Schach (die Hand vor den Augen) Weſſir!
führe mich ——— zurük!

———————

XXII.

Das unverstandne Herz.

„Zwischen Sinnenglük und Seelen=
frieden,"

„Bleibt dem Menschen nur die
bange Wahl:"

„Auf der Stirn' des hohen Uraniden"

„Leuchtet ihr vermählter Strahl."

(Das Ideal und das Leben. Str. 1. V. 7 - 10)

Praxiteles. Ich bringe dir etwas, was dich
freuen wird, meine Phrine!

Phrine. Das wird jedes Geschenk von dir,
denn nur deinen Amor aus Marmor gab ich mei=
ner Vaterstadt Thespiä — der andre blieb dir
und mir treu, und hat ein Band aus Erz um
uns geschlungen, wenn schon leicht und süß.

Praxiteles. Hier hast du—eine Tochter!

Phrine. Wie nimmst du dein Geschenk, Pra=
iteles?

Praxiteles. Wie ich es gebe, Gute? — das erräth dein Herz wohl jenem des Freundes ab; was dir noch dunkel bleiben sollte, ergänzen wenig Worte.

Euponia (Phrinen sich nähernd) Sey mir gut!

Praxiteles. Dein Blik verlangt eine Geschichte von mir — hier ist sie —

Phrine. War er auch vorlaut, du darfst ihn nicht mißverstehn.

Praxiteles. Würd' ich dir dann erzählen? nur erzählen wollen? Höre — (zu Euponia) Verschleire dich nicht, schönes Mädchen; deine Wangen mögen von sanfter Huld erröthen, nicht von Schaam —

Euponia. Ich liebe dich als Vater — gedenk' der weinenden Matrone —

Praxiteles. Ich gedenk' ihrer; und liebe dich als Tochter. (zu Phrine) Ich trat mit dem Morgenroth in meine Werkstätte; ganz dem Bild' meines guten Glüks hingegeben, war ich nur mit ihm beschäftigt, zur Ruhe gegangen; ich konnte wenig schlummern, die Lösung der Aufgabe

schwebte mir vor, ich eilte nach Marmor und Mei=
sel zurük — ein paar Augenblikke, und ich ergriff
diesen, um meine enträthselte Gedanken in jenem
auszudrükken.

Phrine (lächelnd) Wie könnt' auch dem
vollendeten Meister des g u t e n A u s g a n g e s
das gute Glük n i ch t entsprechen!

Praxiteles. Freundliche Schmeichlerin —

Phrine. Gerechte Freundin! wäre besser und
wahrer gesagt.

Praxiteles. Die Begeistrung ergriff mich;
ich lebte das Leben über den Wolken, das seelige
schaffende, als mich plözlich Töne des Erdenkummers
vom Empiräum herabzogen. Ich hörte ein leises
aber inniges Schluchzen — aus schwer gepreßter
Brust wanden sich die schmerzliche Seufzer los, zu
welchen heisse Thränen gehören mußten.

Phrine. Du forschtest nach der Ursache? — —

Praxiteles. Und fand — o Phrine — und
fand —

Phrine. Dein Aug leuchtet.

Praxiteles. Erinnerst du dich meiner lächeln=
den Hetäre?

Phrine (lächelnd) Meinst du vielleicht, die Eifersucht könne mir die Erinnerung nehmen?

Praxiteles (mit einem Seitenblik auf Euponia) Sie erröthet wieder!

Phrine. Deine Erzählung —

Praxiteles. Aber der weinenden Matrone hast du vielleicht vergessen?

Phrine. Wie ungerecht, Praxiteles, eben heute mich eines solchen Verschuldens gegen zwei deiner Meisterwerke fähig zu glauben!

Praxiteles. Wol denn, liebe, gute Phrine — stelle dir beide Gestalten —

Phrine. Jede schön und ausdrukvoll — ich seh' sie vor mir —

Praxiteles. Stell' sie dir vor, einander gegenüber stehend, zwischen ihnen weinend auf den Boden hingegossen dies schöne Wesen (auf Euponia zeigend) und mich fern und stumm, steinerner für den Moment als je eine Bildsäule war, von der Seite stehend, ehrend, theilend, zweifelnd—

Phrine. Eine gemischte Gruppe des wahren und Kunstlebens!

Praxiteles. Euponia sollte dem Mann' folgen, den sie nicht liebte; bereit zur Flucht mit ihr war der Geliebte. Hier winkten Liebe und Freiheit, dort Hausstand und häusliche Ehre — Pflicht und Herz lagen im Streit', Glük der Liebe und Glük des Weibes kämpften — der Hetäre Lächeln schrekte von dem Geliebten zurük, der Matrone Thränen zogen zu dem Gemahl, welchen Elternwille gewählt — so lag sie auf den Knien zwischen meinen Bildsäulen, und bat den Vater der Götter und die göttliche Venus um Hilf' und Erleuchtung. Zu dir folgte sie mir —

Phrine (sanft verwirrrt) Um Hilf' und Erleuchtung?

Praxiteles (fest) Ja, Gute — jene vermagst du zu geben, und diese verweigerst du nicht.

Phrine (zu Euponia) Laß' dich zu deinen Eltern zurükführen, schönes Mäd'chen; ehre die Warnung der weinenden Matrone, Hetären lächeln fliehend. Ein unverstandnes Herz bereitet sich [den Seelenfrieden aus erfüllter Pflicht, und der hohe Saturn, der wolthätige Gott der Zeit vermählt nicht selten dieser den schönern Genuß der irdischen Freude. Komm' meine Euponia — Dank dir Praxiteles, für den Beitrag deiner Freundschaft zu meiner Selbstaussöhnung!

XXIII.

Die Geburt des Harpokrates.

„Wer etwas Treffliches leisten will,"
„Hätt' gern was Grosses gebohren,"
„Der sammle still und unerschlafft"
„Im kleinsten Punkte die höchste
Kraft."

(Breite und Tiefe. Str. 2. V. 3 - 6)

Von dem treulosen Tifon überfallen, hatte Osi, ris nnter den Händen des Brudermörders und seiner sechs und zwanzig Gefährten verblutet; traurig schwebte sein Geist um die trauernde Isis, die — Gattin und Schwester zugleich — vergeblich zu dem Bruder Zevs im Olimp, zu dem herabgestürzten Vater Saturn im Tartarus flehte.

Die Trostlose sammelte die geliebten Reste; sechs und zwanzig Priester verwahrten sie als so viel Heiligthümer, Egiptens Volk weinte bei dem Grab', und bald betet' es den verlohrnen königlichen Wolthäter unter dem Bild des geäugten

Zepters an. Doch sein Geist schwebte immer noch
trauernd um die trauernde Gattin und Schwester,
und Isis weinte, dem Volk' verborgen, heisse
Thränen.

Da winkte Zevs im hohen Olimp, und im tie-
fen Tartarus rief Saturn. Osiris verließ die Geliebte, um dem väterlichen Ruf zu folgen.

Du zogst wolthätig umher, sprach Saturn, o
mein Sohn, die Menschen den Bau des ernäh-
renden Korns und des erquikkenden Weins zu lehren; sieh, wie den Offnen der Bruder lohnte.
Auch ich führt' einst die goldne Zeit am Himmel
herauf, und in die Tiefe stürzte mich der Erzeug-
te. Das Grose bedarf der Hülle vor dem Kleinen;
gieb mir einen Enkel, dir selbst einen Sohn, der
klagenden Isis den stillen sichern Tröster, welcher,
von uns abstammend, die grosen Menschen das
Schweigen lehre, und sie lehrend, den kleinen un-
bekannt sei.

Osiris schwebte zu der trauernden Gattin zurük:
im verschwiegnen Traum erschien er im Götter-
glanz' auch ihr der Göttlichkeit Ahnung zuflüsternd,
und so wurde Harpokrates, der Gott des Schwei-
gens, nach des Vaters Tod' gebohren.

XXIV.

Kritiker = Weisheit.

„Ist das Auge gesund, so begegne
 es auſſen dem Schöpfer;"
„Ist es das Herz, dann gewiß spie=
 gelt es innen die Welt."

Aristarch. Ihr mögt sagen, was ihr wollt,
die Verse Homers, welche ich verwarf, sind alle
untergeschoben.
Der eine Schüler. Du hast recht, weiser
Aristarch.
Der andre Schüler. Sie taugen nicht.
Aristarch. Richtig, mein Lieber: denn gesezt
auch, sie wären ächt, so gefallen sie mir doch nicht;
und da ich eine höchst kunstgerechte Untersuchung
über Homers Werke angestellt habe, so heißt es
ihm einen Dienst leisten, wenn ich die Verse, die
mir mißfallen, aus ihrem Zusammenhang' merze.
Erster Schüler. Wolthätiger Aristarch!

Zweiter Schüler. Glükseeliger Homer!

Aristodem. Blikst du aber nicht über deine strenge Regel hinweg?

Aristarch. Wohin?

Beide Schüler. Wohin?

Aristodem. Um dich her, in die Wahrheit der Natur.

Aristarch. Davon steft schon das Resultat in meiner Kritik.

Beide Schüler. Das steft schon in seiner Kritik.

Aristodem. Hast du denn aus der Fülle des Schöpfers deine Regeln gefaßt?

Aristarch. Meine Regeln enthalten die Fülle.

Beide Schüler. Ja! Ja!

Aristodem. Wenn du nicht mehr um dich schauen willst, so sieh' wenigstens in dein Inneres.

Aristarch. Das kenn' ich durchaus, das hab' ich selbst gebildet.

Erster Schüler. Das kennt er!

Zweiter Schüler. Er hat es selbst gebildet!

Aristodem. Vergieb dem Zweifler —

Aristarch. Ja, der bist du.

Beide Schüler. Der bist du!

Aristodem. Darum vergieb mir's, wenn es anders der Vergebung bedarf — aber —

Aristarch. Wohl bedarf es der, ob ich sie dir gleich nicht gewähren sollte.

Aristodem. Nicht?

Beide Schüler. Nein! Nein!

Aristarch. Das Auge soll dem prüfenden Meister nachsehn —

Aristodem. Gab es der schaffende Meister dazu?

Aristarch. Das Herz soll von dem bildenden Meister das Gemälde der Welt empfangen.

Aristodem. Wurd' es als Wachs für seine Hand geschaffen?

Beide Schüler. So ist's

Aristarch. In diesem Saale darf sich kein Aber empören,

Aristodem. Den Göttern sei Dank! dein Lehrsaal ist die Welt nicht.

Beide Schüler. Unsre Welt!

Aristodem. Genießt ihrer nach Herzenslust!

Aristarch. Heb' dich hinweg!

Aristodem. Samothrazier!

Aristarch. Jezt Alexandriner!

Aristodem. Wenn einst Apoll dich mit der Wassersucht straft —

Aristarch. O des Lästerers!

Aristodem. Und Minerva's Eule dir das Todtenlied singt —

Beide Schüler. O des Freblers!

Aristodem. Und der Hungertodt den göttlichen Homer an dir rächt —

Aristarch. Heb' dich hinweg, sag' ich dir! —

Aristodem. Dann denke des gesunden Augs und Herzens, welche ich jezt von dir abwende um sie gesund zu erhalten, und bereue, dein Aug und Herz den Nebeln deiner selbstgenügsamen Theorie aufgeopfert zu haben.

Aristarch. Schließt die Thüre hinter ihm!

Erster Schüler. Wir wollen nichts sehn!

Zweiter Schüler. Wir haben unsre Welt!

Aristarch. Ihr verjüngt mich.

———

115

XXV.

Dämmerschein.

„Verscherzt ist dem Menschen des
Lebens Frucht,"
„So lang' er die Schatten zu haschen
sucht."

Traurig saß Reffoh an dem Rand' des Bachs,
ein Vergißmeinnicht um das andre hartherzig genug
abreissend, und zwischen den gekrämpften Fingern
zerknitternd. Da verlasse man sich auf Feen, fuhr
er endlich zernmüthig auf; da lobe man die Alten,
wenn man — kann! Mein guter Grosvater stirbt,
giebt mir statt alles Erbes die Anweisung auf die
Vergißmeinnicht dieses Baches, und das heilige
Vertrauen auf eine Fee, welche unverweilt erscheinen, und mich mit Wolthaten auf den Lebensweg
einweisen werde, sobald ich ihre Lieblingsblume
berühre. Nur mit einem Worte soll ich den Wunsch
ausdrükken, der in meiner Seele auflebt; aber um

des Himmelswillen nur mit einem, denn sie
sei eine tödliche Feindin aller Weitläufigkeit. Ich
seze mich hieher an die leise gluksende Silberwellen,
zupfe die Zauberblümchen, und sage, und rufe,
und schreie, und rufe wieder: Freude! — Giebt
es eine kürzere Art sich auszudrükken? einen ge-
horsamern Enkel? eine — grausamere Fee?

Immer zorniger je länger er sprach, schleuderte
der aufgebrachte Reffoh mit dem lezten Wort' den
ganzen unfruchtbaren Schaz zerrißner Blumenblätter in den Bach, und raffte sich selbst empor. Aber,
o Wunder! in demselben Moment' kochte der sonst
so friedliche, spiegelglatte wild empört auf; zur
Fluth werdend rauscht' er über die blühende Ufer,
einige Blize schlängelten ihr blaues Schwefelfeuer
in das schäumende Wassergetöse, einige Donner
wölzten ihr hohles Krachen nach, Reffoh stand starr
und steinern, bis ein furchtbar Ungeheuer ans dem
Wellenschlund aufstieg, und aus dreifachem Rachen
dreimal drei zischende Schlangenzungen grimmig
ihm entgegen spizte. Da floh er behend' vor Angst,
pfeilschnell hört' er das Ungethüm nachrauschen, i——

Geiste wünscht' er sich zu dem alten Großvater in das enge sich're Grab, doch sein Körper schwang sich trotz einem Eichhörnchen die mächtige Eiche hinauf, und der Jünger der Freude ruhte vor bitterer Furcht nicht eher, bis er sich auf dem äussersten Ast' des hohen Gipfels wiegte. Unten lag der dreiköpfige Drache, glozte ihn schreklich aus sechs Flammenaugen an, und zischte mit neun Zungen ein furchtbar Todeskonzert, während der Zweigbewohner bang die Höh' ermas, und sich, so gut es die schwindende Augen erlaubten, zu verläsigen suchte, ob der gräßliche Feind auch mit Flügeln ausgestattet sei.

Doch der ließ ihn nicht lang' im Zweifel. Plözlich entfaltete er zwei rabenschwarze Riesen-Schwingen, und hob sich langsam und seines Sieges gewiß gegen den Eichenwipfel hinan, in deſſen flüsternden Blättern sein hilfloses Opfer zitterte. Rettung! schrie Reffoh mit der lezten Anstrengung des Entsezens, indem zugleich ein unbeachtetes Vergißmeinnichtblatt von seinem Gewand' auf die Stahlschuppen des Drachens fiel. Und wie er die zum Him-

mel emporgewundne Augen wieder in Todesſchauern
herunter ſenkt, um dem zögernden Untergang die
Urſache des Ausbleibens abzuforſchen; O all ihr
Zauberer und Feen! ruft er da — welch göttlicher
Anblik!

Das Ungeheuer hat ſich in magiſche Wolkenmiſ
ſchung von Azur und Purpur verwandelt; und das
wunderſchönſte Mädchen, welches je von Menſchen-
augen erblikt wurde, ruht auf dem ätheriſchen Soſ
fa, ihm nah, ſo nah, daß er nur den, Arm ausſ
ſtrekken darf, ſie zu erreichen. Ein Lächeln, ein
Blik, eine ſanfte Berührung mit ihrem Zauberſtaſ
be, die Huldin verſchwand, und Reffoh findet ſich
auf duftendem Flaumenlager aus ſüſen Schluml
mern zurechte

O ſie! ſie war es! nur der Gedanke blieb ihm,
ſeine Fee ſchwebte in der Zauberfüll' ihrer Him-
melserſcheinung mit allmächtigem Zug' vor ſeinem
Auge, er riß ſich auf, ihr nachzueilen, und — flatt
terte als Schmetterling aus dem vollen Buſen der
Roſe.

Mächte des Himmels! was iſt aus mir geworden!
in welche kleine Welt der kleinſten Genüſſe bin ich

verstoßen! O Großvater, du würdest dein lezteß
ehrwürdig Silberhaar mit_den zitternden Greisen:
händen dir vom geprüften Schädel reißen, sähest
du den armen Enkel in dieser Gestalt durch sie,
der du mich vertrautest, die unter himmlischem
Reiz solche Falschheit verbirgt!

So jammerte der neue Schmetterling, und fühl:
te sich, troz aller Klagen, unwiderstehlich fortgeris:
sen von Blume zu Blume; bei jeder senkt' er die
lasurgoldne Flügel, nachdem er in immer kleinern
Kreisen um sie geschwebt, schlüpft' in den süß duf:
tenden oder schön bemahlten Kelch, tändelte Se:
kunden hin, und flatterte dann unbefriedigt und
sehnsüchtig weiter.

Mit Neid bemerkt' er zulezt das Spiel der Bie:
ne wie sie, zwar gleich ihm alle Töchter Flora'ß
umkreisend und bei jeder sich niederlassend, doch
in stillem Ernst' viel länger als er bei der reichen
Fülle verweilte, beladen mit süßer Beute davon
zog, und zu dem häuslichen Vorrath' immer neu:
en Gewinn brachte.

Die Götter mögen es wissen, flüsterte Schmetter:
ling Reffoh, was die Biene vor ihrem jezigen Da:

sein war, und welches Blumenblatt ihr den häßlichen Rüssel und den spizen Stachel für ihre Menschengestalt gab. Ich weiß nur soviel, daß ich mir unverzüglich beides gegen mein unfruchtbar Lasur und Gold eintauschen werde, wenn anders — die Fee mir wol will.

Er flatterte tief, tief hinunter am Gestade des Bachs, nezte sich beide glänzende Flügel im flüssigen Silber, um ein Blatt des bescheiden verborgnen Vergißmeinnichts zu erobern, und sank, der Schwingen nicht mehr mächtig, mit dem innigen Wunsch: Biene! darauf nieder.

Dem nahen Wassertod' entschwebt' er in Bienengestalt froh und fleißig mit still heisem Danke gegen die Fee, und reich im Besiz des großväterlichen Erbe; es hieß: Fleiß und Genuß.

Wie er über dem thätigen Bienenleben auch den Wunsch nach Reffohs müsigem Dasein verlernt hatte, erschien ihm unverhofft eines Tags die himmlisch schöne Fee wieder; ihre sanfte Berührung gab ihn der Menschengestalt zurük, aber auch als Reffoh verlohr er nie mehr über den Schatten der Freude des Lebens Frucht.

XXVI.

Der Wink des Augenblicks.

„Aus den Wolken muß es fallen,"
„Aus der Götter Schoos das Glük,"
„Und der mächtigste von allen"
„Herrschern ist der Augenblik."

(Die Kunst des Augenblicks. Str. 5)

Die Engländer. Sieg! Sieg! (Kanonen-
donner aus der Ferne)

Ein Adjutant. Milord! das Fort ist berennt!

Lord Peterborough. Und die Stadt?

Zweiter Adjutant. Milord! das Fort wird
erstiegen!

L. Peterborough. Und die Stadt?

Dritter Adjutant. Milord! das Fort ist
genommen!

L. Peterborough. Steckt Barzellona auch
die weiße Fahne aus?

Die Adjutanten. Noch nicht!

6

L. Peterborough. Fort denn zur Hauptarbeit!

Ein Trompeter (wird gebracht)

Ein Adjutant. Der Vizekönig verlangt zu kapituliren.

L. Peterborough. Das ist ein Wort: Ich bin bereit — wo ist er?

Trompeter. Am Hauptthore, Milord, wartet er Ihrer Antwort.

L. Peterborough (zu Pferde steigend) Ich bringe sie selbst.

Erster Adjutant (ihm nachsehend) Das ist ein Mann!

Zweiter A. Wenn ihn jezt Marlborough sähe!

Dritter A. Vergeßt ihre Feindschaft in Kampf und Sieg für's Vaterland! (Sie sprengen nach)

(Englische und spanische Offiziere in buntem Gemisch; Lord Peterborough und der Vizekönig sind in dem Wachhaus' in Unterhandlung begriffen. Plözliches Getöse, Waffengeklirr, Jammergeschrei in der Stadt.)

Ein spanischer General (ansprengend). Verrätherei! Wo ist der Vizekönig?

Ein englischer Adjutant. Verrätherei? Wir sind eure Feinde, Herr Spanier!

Ein anderer spanischer General (heraneilend) Der Vizekönig! wir sind betrogen.

Die Engländer (sich gruppirend) Wozu soll das?

Der Vizekönig (mit Lord Peterborough heraustretend) Wie! Kriegslärm während der Unterhandlung!

L. Peterborough. Ich hör' ihn — aber keine Ursache!

Die Spanier. Man überfällt uns — die Feinde dringen in die Stadt — sie plündern — sie morden —

Vizekönig. Wie, Milord! Wir sind hier mit Ihnen zusammen, und kapituliren als redliche Männer, und Ihre Britten dringen durch die Verschanzungen ein, und würgen, schänden, hausen wie Räuber.

L. Peterborough. Unmöglich!

6 *

Vizekönig (nach dem Getös' in der Stadt deutend) Gewiß!

L. Peterborough (entschlossen) Das sind die Hilfstruppen —

Vizekönig. Gehören sie nicht euch an?

L. Peterborough. Nur ein Mittel ist hier! Schlagen Sie ein, Sennor!

Vizekönig. Und welches?

L. Peterborough. Lassen Sie mich sogleich mit meinen Britten in die Stadt —

Vizekönig } Wie!
Die Spanier}

L. Peterborough. Mein ist die Stadt! und kann gerettet!

Vizekönig (zweifelnd) Wenn aber...

L. Peterborough. Jeder Augenblik des Mißtrauens kostet hundert edle Spanierleben — Mein ist die Stadt und ich rette sie!

Vizekönig. So sei's! Oeffnet!

Die Spanier. Nein! nein!

L. Peterborough. Mein ist die Stadt, ich stelle die Ordnung her, gebe sie euch zurük; ihr kapitulirt, wir enden als Biedermänner!

Vizekönig. Oeffnet! laßt ſie ein! (Die Thore werden geöffnet, Lord Peterboꞃ rough ſtürzt an der Spiꜩe ſeiner Trupꞏ pen in die Stadt. Lauter Aufruhr; allmähliches Verhallen)

L. Peterborough (an der Spiꜩe ſeiner Truppen auf den Plaꜩ vor dem Thore zurükkommend) Hab' ich Wort gehalten, Sennor?

Die Spanier (durcheinander) Der edꞏ le Mann — unſre Weiber hat er gerettet — unſre Kinder — unſre Häuſer den Flammen entriſſen — Segen — Segen über ihn!

L. Peterborough (zu dem Vizekönig) Nun wieder zu unſerm Geſchäft!

Vizekönig. Es iſt geendet. (Ueberreicht ihm die Schlüſſel) Nicht mehr Feind—Freund!

Die Spanier. Recht ſo! er lebe — lebe! (Frohes Getümmel) Freund! Retter!

XXVII.

Die Satirshaut.

„Biſt du bereitet und reif, das
Heiligthum zu betreten,"
„Wo den verdächtigen Schatz Pallas
Athene verwahrt?"

(Einem jungen Freunde. V. 3 - 4)

Behaglich ſchlich Satir Marſias im Grünen. Von
Bacchus Freude hauchenden Gaben begeiſtert, hatt'
er ſich von dem Gefolg des Freudenſpenders halb
zufällig, halb abſichtlich verlohren, und ſchien —
des zeugte die Schalksmiene voll lebendigen Spot-
tes — Abentheuern begegnen zu wollen. Mit leichtem Ziegenfus hüpft' er über Stok und Stein, indem er ſich mit beiden Händen hinter den ſpizen
Ohren kraute, und den Kranz aus Rebenlaub weiter hinauf nach den zierlichen Hörnern ſchob.

Plözlich ſtand er ſtill, und flüſterte mit ernſter
Miene: Genug des Tobens und der wilden Sprün-
ge; Bacchus Geiſt hat den Funken der Weisheit

in mir gezündet; ich will einmal den Pfad nach
Minerva's Wohnung einschlagen. Eine kleine Sie-
ste, wär' es auch nur im Vorhof ihres Tempels,
wird mir Ansehn geben, und Bedächtlichkeit; keiner
unter Pans Volke wird mir gleichkommen, und
Bacchus mich um so mehr lieben, wenn ich hie
und da etwas von Wißenschaft und Kunst zwischen
das Evan Evoe! hineinplaudern kann.

Niemand begegnete ihm auf dem verödeten Pfade. Den ohnehin nicht so häufig betretnen flohen
alle Sterbliche, deren keiner ungeahndet den
Waldgott erblikken durfte. Verwünscht! brummt'
er — jezt kommt mir die Ehrfurcht ungelegen, denn
sie entzieht mir den Wegweiser nach — er lachte
sich höhnisch selbst aus — unbekannten Gründen.

Da wogte der süßeste Flötenton aus der Blühten-
nacht der Gebüsche! er horchte, wollüstig wakkelten
die Spizohren, das Satirsgesicht grinzte Wonne-
gefühl — Aber im besten Hören unterbrach ihn und
den Wonnelaut spöttisches Gelächter einer weibli-
chen Doppelstimme, leichtes Rauschen raschelte durch
die Büsche, alles war still und stumm.

A.

Nimfen! rief der Jünger der Weisheit, durch
das Dikficht ſetzend, doch er fand der loſen Schel,
minnen keine, wol aber die Flöte, welche Miner,
va zu den Füſen der Spötterinnen Juno und Ve,
nus geworfen. Die Unglüks-Verwünſchungen nicht
ahnend, die auf der holden Verſchmähten ruhten,
ergriff und erkannt' er das Eigenthum der Göttin.
Nun ſoll es gelten! ſchrie er mit Freudenſprün,
gen lauten Jubels — Minervas Flöte iſt mein,
mein Kunſt und Sieg — Wo biſt du, Apoll?

Ach! er bezahlte Fund, Jubel und Stolz dem er,
zürnten Gott des Schönen, er bezahlt' ihm den
Frevel am Eigenthum ſchöner Weisheit mit — der
Satirs-Haut.

XXVIII.

Des Lachers Fluch.

„Wol, wenn in's Eis des flügelnden
Verstandes"

„Das warme Blut ein bischen munt,
rer springt!"

(An einen Moralisten. Str. 5. V. 1-2)

Epikur (auf dem Rasen unter schattis
chen Bäumen gelagert, von seinen
Schülern umgeben) Das wär' also das neue
Buch unsers guten Freundes Chrisipp?

Leonzium. Viel Rebensaft, viel Papier und
wenig Geist — ist die Losung.

Agathias. Er hörte von einem neuen Volus
men deines Genius, und eilte als guter gelehrter
Hausvater, mit der Zahl seiner Kinder nicht hins
ter dir zurükzubleiben.

Epikur (lächelnd) So muß ich denn wol
aufhören, damit sein jüngstes Kind auch sein leztes
sei.

Agathias. Mit nichten! er würde dir das Hemmen seiner Fruchtbarkeit eben so sehr verübeln, als die Erzeugnisse der deinigen.

Leonzium. Mit diesen guten Leuten bekommst du nimmer Frieden.

Epikur. Ich will es besser machen, liebe Leonzium; ich will im Krieg mit ihnen bleiben.

Agathias. Deine Ruh' ärgert sie am meisten.

Epikur. So mögen sie mir nachahmen. Aechte Seelenruh' ist ein schönes Gemeingut der Menschheit.

Leonzium. Und ein süßes.

Agathias. Unsre Eintracht ist ihrem Sektengeist ein Gräul.

Leonzium. Und sie strömen schwarze Verläumdungen über dich und mich aus.

Epikur. Laß' ihnen ihre Freude; wir wollen unsre Wonne behalten. Sie theilt unser nüchtern Mahl. Chrisipp und die Seinigen müssen doch auch einen Nachtisch zum Rausche haben.

Chrisipp (in der Ferne vorübergehend) Seht dort den Gott der Wollust in trägen Schatten lagern!

131

Epikur (ihm zurufend, und Chrisipps
Buch in die Höhe haltend) Wir sind
nicht müsig — wir studiren deine Logik. Hast du
sie nicht den Göttern zum Gebrauch' angewiesen?

Chrisipp. Spotte nur; eile, denn du Nichts,
aus dem Nichts gekommen, kannst sehr bald wie=
der in das Nichts zurükkehren.

Epikur (lächelnd) Steh' fest, mein liebes
Atom, sonst stürzest du unfehlbar durch den leeren
Raum auf den Boden.

Chrisipp. Stehn oder Fallen, die krumme Li=
nie, welche uns vereinigen könnte, wird in Ewig=
keit ausbleiben.

Epikur. Doch gerath' ich vielleicht einmal aus
meiner senkrechten Richtung durch eine abweichen=
de auf — dein Werk über die Vorsehung —

Chrisipp. (erbost) Die Götter mögen dich—

Epikur. Zum Stoiker machen! — Keine grau=
samere Verwünschung wüßt' ich dir gegen mich an=
zugeben.

Chrisipp. Wie er lästert!

Epikur. Und dir — daß ich es es vergelte! —

151

mögen sie den Sohn nehmen, und mir in' die Schu=
le schiffen!

Chrisipp. Ja! das wäre Wollust der Rache
für dich!

Epikur. Ein Beweiß, daß du wollüstiger bist,
als du mich gerne schildern möchtest. Denn der
Rache so wie des Hasses Vergnügen sind mir un=
bekannt.

Chrisipp. Wie alles, Ernste, Erhabne —

Epikur (lächelnd zu Leonzium) Sprich
doch dem Stoiker von der Liebe.

Chrisipp. Recht so, filosofische Afrodite —
und auch von der behaglichen Laune, dem schnell=
füsigen Scherz, dem tausend gestaltigen Spotte?
Das sind ja eure Weisheitswürzen.

Leonzium. Die Weisheit schmükt sich so schön
mit Blumen —

Epikur. Hast du nie gehört, daß Minerva
lächeln kann, und das Lächeln liebt?

Leonzium. Und daß man ihren Altar mit Oel=
zweigen ziert?

Epikur. Mit Zweigen der Bäume, die hier
über uns ihr Schattendach wölben?

Chrisipp (zornig) Warum solle' ich gold=
ne Früchte vergeuden! (Sich entfernend)

Agathias (nach langem Selbstkampf
ihm nachrufend) So erstikk' auch einst, fal=
scher Priester des Ernstes, vor Lachen über Si=
lens Roß, welches Feigen aus silberner Schaale
frißt!

———————

XXIX.

Nemeſiſtrank.

„So beleuchtet der Würden Glanz
den ſterblichen Menſchen;"
„Nicht Er ſelbſt, nur der Ort, den
er durchwandelte, glänzt."

(Würden. V. 5 - 6)

Midas wollte verzweifeln. Das geſchwäzige
Schilf plauderte dem verhaßten Bartſcheerer zu
laut nach, der Macht blieb auch kein einzig Mittel
mehr, den verrätheriſchen Nachhall niederzudrüffen,
welcher, ſeinem biegſam-hartnäkigen Vater, dem
Rohr' gleich, von jeder Beugung raſcher emporſtieg.
Umſonſt waren verbergende Binden, umſonſt Ge-
heimnißverbürgende Eidſchwüre: er wollte verzweifeln, der arme König von Lidien.

Wozu hilft's mir nun, klagt' er halblaut im
heimlichſten Gemache, daß kein Ohr die verdächtige
Klage belauſchen könne — wozu hilft es mir, daß
der hohe Bacchus mein Gaſtfreund war? daß er

mir die Goldfinger, und i ch dem Paktolus die Gold-
fluthen gab? was hilft's, daß der göttliche Apoll
mich zum Schiedsrichter erwählte, und der Genius
in mir den gerechtesten der Sprüche mir einflößte?
was soll die Begeistrung, was die Ehre, wenn sié
mit so bittrer Schmach verseʒt, durch Entehrung
gerächt wird? Nein! o ihr Götter, ihr habt mir
ein härter Loos bereitet, als dem niedrigsten Sklaven Lidiens, nnd dies grausame Schiffal treibt sein
dunkel-grimmig Spiel mit mir. Ich trag es nicht!

Da stieg die Tochter des Erebus und der Nacht,
die hehre Nemesis vor dem Jammernden auf: nur
leicht waren ihre Schwingen entfaltet, auf ihrem
Haupt glänzte die Krone, in der Hand die Schaale.
Mit ernster Miene sprach sie: Du entlehntest die
Herrlichkeit, für deren Last d e i n e Schultern zu
schwach waren. Lerne nun die Wucht der büsenden
Eitelkeit dulden, oder —

Sie reichte ihm dir Schaale.

Oder? fragte Midas kläglich.

Trinke! Hier allein ist Hilfe für dich und
deines gleichen.

Er trank begierig — den Todesschlaf.

XXX.

Kunstweihe.

„Dein Wissen theilest du mit vor=
gezognen Geistern,“

„Die Kunst, o Mensch, hast du allein.“

(Die Künstler. Str. 2. V. 20-21)

Giovanni Marino. Hier! vom aufrich=
tigen Herzen gereicht — meine Hand, Murtola!

Gaspare Murtola (etwas abgewen=
det) Die meinige begegnet ihr.

Marino. Eben so?

Murtola. Ich danke dir das Leben.

Marino. Laß' es uns froh zusammen genie=
ßen!

Murtola. Du gabst mir jezt viel — du nahmst
mir früher beinah mehr.

Marino. Den Dank erlaß' ich dir, erlasse du
mir die Feindschaft.

Murtola. Neapolitaner! dein poetisches Sti=
let traf tief, und schmerzte heiß.

Marino. Und deine Pistole, Genueser?

Murtola. Eine Kugel wäre mir willkomm-ner gewesen, als deine Murtolaide.

Marino. Hab' ich bei deiner Marineide ge-zukt?

Murtola. Beweißt das etwas gegen meine Verwundbarkeit, wenn dich eine Thetis in den Stir tauchte?

Marino (lächelnd) Doch wußte dein Ge-schoß mir die Ferse auszufinden: ich blutete.

Murtola. Moralische Wunden schlug mir dein Kiel: sie brennen sengender.

Marino. So laß' uns nun aus dem Lethe trinken.

Murtola. Der Dichter des Adonis sollt' um diesen verlöschenden Fluß doppelt gut Bescheid wis-sen.

Marino. Wenn du an der Hand der Spöt-terei gehst, so wirst du den rechten Pfad nach sei-nen wolthätigen Ufern gewiß verfehlen.

Murtola. Faßt' ich nicht deine dargebotne Hand?

Marino. Immer beſſer!

Murtola. Immer ſchlimmer! möcht' ich rufen. Dein Kardinal mag dir nur eine gute Doſe Vor: Ablaß bey dem heiligen Vater auswirken.

Marino. Dieſer Hilfe bedarf freilich nicht der Verfaſſer der Weltſchöpfung: denn er ſchöpft aus der erſten und höchſten Quelle, und wenn —

Murtola (lebhaft) Warum ſchrichſt du nicht lieber Sänger?

Marino. (fein) Du haſt Recht; denn der Name Dichter paßt dem Beſchreiber der erhabenſten Geſchichte nicht.

Murtola. Der Neapolitaner ſchleift ſeinen Dolch.

Marino. Der Genueſer trägt Bitterkeit auf Honiglippen.

Murtola. Laſſe mich hier in meinem Kerker.

Marino. Du verſchmähſt —

Murtola. Nicht die Gnade des Fürſten —

Marino. Aber mich?

Murtola. Nektar bedarf des reinen Kriſtall: bechers.

Marino. Die wenigen Worte wiegen meine ein und achtzig Sonnette auf.

Murtola (vergnügt) Sagt das deine re gellose Orginalität im Ernste?

Marino (heiter) Ist es dir Ernst mit diesem neugeprägten Titel?

Murtola. Voller!

Marino. Auch meinem Ernst gebrach's an Fülle nichts.

Murtola. So sind wir ausgeglichen — so laß' uns gehn!

Marino. Du bist ein gelehrter Mann, mein werthester Gaspare Murtola.

Murtola. Und du ein Schazmeister von Kenntnissen, geehrter Giovanni Marino.

Marino. Der Himmel erhalte dich den Musen noch lange!

Murtola. Und in dir möge bis zum spätesten Alter eine Zierde ihres Reichs' blühen!

Marino (der Pforte mit Murtola nahend) Wir wollen zusammen wirken.

Murtola. Im Wechselfeuer des Genius gedeiht das Schöne.

Marino (zurükschrekkend) Sahst du?

Murtola (bestürzt) Welche Erscheinung!

Marino. Eine himmlische Gestalt!

Murtola. Zwei Flammen!

Marino (hinzueilend) Gott! mein Adonis wird Asche!

Murtola (eben so) Gerechter Himmel! meine Weltschöpfung zerstiebt!

Eine Stimme. Gerecht ist der Himmel! die
Kunstweihe euch nicht beschieden! Euch fehlt der
hohe Menschensinn! Wisset! wisset! wisset nur!
(beide stürzen zur Erde)

XXXI.

Zäsar am Rubikon.

„Du mußt glauben, du mußt wagen,"
„Denn die Götter leihn kein Pfand,"
„Nur ein Wunder kann dich tragen"
„In das schöne Wunderland."

(Sehnsucht. Str. 4. V. 5-8)

Die Grenze meiner Provinz! auf dem Boden meiner Siege steh' ich mit dieses Sieges Genossen! vor mir liegen die Gefilde des Schiksals, und — Rom! — Rom! hohe Roma! dn sänkest, und mein Genius schwebt! das Blut deiner Söhne sezt ich an Unterwerfung der Barbaren, und gäbe dein Loos dem schwachen Pompejus preis! Knechtschaft bereitet er dir — zur Welherrschaft bist du gegründet, und Welherrschaft will ich dir geben! Den Sieg hab' ich erobert, deine Adler glänzen unter Lorbern, dein Name schrekt am Rhein, am Tagus und an der Rhone — und du Magd! — —

Nimmer! nimmer! bei den unsterblichen Göttern! nein!

Ein fünfjährig Prokonsulat zeigen sie mir, daß sie Diktatoren seien. Der Schwelger Krassus, Pompejus der Schwächling Diktatoren! Romulus ruft vom hohen Olimp, und Numa's Segen thaut auf mich!

Silberstrom! schwimmende, fluthende Brükke zum ewigen Ruhm! Flieht nicht so schnell, zitternde Wellen! Freundesfus überschreitet euch!

Werden sie mich als den Retter erkennen? Quiriten, Egeria's Schüzlinge, fühlt ihr mich in meinem Nahen? — Werdet ihr? — Keine Frage ausser mir—die Wahrheit im Aug', die Nachwelt zum Richter, will ich im errungnen Besiz höchster Gewalt zeigen, daß wir unserer werth sind! Nicht wie Chares von Lindus, will ich berühmt werden, weil ein Koloß mein Werk war — selbst sei ich Koloß!

Mißlingen! Glük! Ha! ich kenn' es, ohne seiner zu bedürfen; ich vertrau' ihm ohne es aufzufordern! Nichts ist mir der Glanz des Erfolgs, alles

der Absicht Strahl! Doch naht es mir — ich füh=
le sein Wehen! Wer das nahende nicht zur frucht=
baren Mutter macht, kann sich gros träumen — er
ist's nicht!

Auf! hebt die ruhende Adler, Siegsgenossen! Sil=
berstrom, Freundesfus überschreitet die fluthende
Brükke zum ewigen Ruhm! Auf, Adler, nach der
hohen Roma! Ich sehe sie! mit ihr winkt uns die
Welt!

———————

XXXII.

Das schöne Dasein.

„Der allein besizt die Musen,"
„Der sie trägt im warmen Busen,"
„Dem Vandalen sind sie Stein."
(Die Antiken. Str. 2. V. 4-6)

Ciocchi. Guter Peter Dandini! wenn du im Vaterland' der Wesen noch von unsern Ober-flächen hienieden Kunde hast oder nimmst, so send' einen freundlichen Blik herab, du warmfar-biger Florentiner, auf deinen grauen Schüler, der — ausgemahlt hat! (Er legt die Palette nie-der) Die Augen versagen ihren Dienst; nicht einmal mein Lieblingskind, meine Luzia delle Ro-binate kann ich mehr erkennen. (Aufstehend) Möchten auch die Knie immer zittern, wäre nur der abbildende Seelenspiegel noch — glatt und in seinem Brennpunkte reich und mächtig! (Sich auf ein Ruhbett lagernd) So hat denn mein Künst-ler dasein geendet — mein schönes Dasein! was

bleibt mir, dem sich selbst Ueberlebenden, als die
Trauerwahl zwischen seelenlosem Dasein und langsam zerstöhrender Sehnsucht? (Er schlummert
ein.)

Peter Dandini's Schatten (um den
Träumenden schwebend) Giovanni Maria
Ciocchi!

Ciocchi. Täuscht mich mein Ohr nicht? bist du
es, mein geliebter Lehrer?

Dandini's Schatten. Die wolbekannte
Stimme des mir immer theuren Zöglings rief mir
— ich erscheine!

Ciocchi. O sei dem armen Erblindenden willkommen! Es ist mit mir zu Ende, mein Meister.

Dandini's Schatten. Wie! hör' ich Giovanni, den begeisterten Giovanni, den ich allen
meinen Schülern zum Muster vorstellte? Er ver-
zweifelt nun an sich!

Ciocchi. Ich bin nicht mehr Ich, wohlthätiger
Bildner meines Künstler = Lebens.

Dandinis Schatten. Wer das zu fühlen
glaubt, ist noch, und reich in seinem Vermögen:

7

er gleicht der Eiche, welcher ein Aft abſtarb, in=
deß ſie noch zehn andre zur ſtolzen Himmelskrone
flicht.

Ciocchi. Was bliebe mir? Ich war Mahler,
und bin nun faſt blind.

Dandinis Schatten. Haſt du vergeſſen,
mein Giovanni, daß der genialiſche Blik nicht im
Auge wohnt? daß bildende Regelmäſigkeit durch
die Sinne eingieng, aber dann in der Seele ihre
Heimath aufſchlug? daß darſtellende Begeiſtrung
unter den Trümmern des Körpers aus unentnerv=
ter Seele quillt, wie der Waldborn aus dem Fel=
ſen mitten unter niedergeſchmetterten Bäumen?
und daß vollendender Geſchmak uns treu bleibt,
wie ein Genius, bis zum Grabe? — Was jenſeits
liegt, könnt' ich die enträthſeln, wenn ich dürfte
— doch, daß ich jezt um dich bin, ſprechend wie
einſt im Leben, und als Freund tröſtend, verbürgt
das nicht die hehre Auflöſung des Räthſels? Kör=
perlos bin ich noch Ich, und du — wir waren ja
ſonſt einig, daß der Körper nur die Wiege des
Geiſtes ſei. —

Ciocchi Aber — meine Kunst hielt ich nur mit
den Augen fest —

Dandinis Schatten. Wie! sie wär' eine
Buhlerin, welche der Blikke zur Nahrung ihrer
Liebe bedarf! — Nein! du kennst sie zu gut, Cioc-
chi, um so tief sie herabzuwürdigen.

Ciocchi. Ich mahlt' aus der Seelenfülle heraus, doch alsdann sah ich mein Werk, sah es ge-
niesend und bessernd.

Dandinis Schatten. Und wäre dir auch
deine Kunst entflohen, bleiben dir doch Kunstsinn
und Natur; er, der festhaltende, ewig wiederge-
bährende Zauberer! sie, die unendliche Göttin des
wirkenden Daseins. Lieblich, wie ein schönes Kind,
lallt die Kunst; indeß die Natur hold- flüsternd
spricht, wie ein reizendes Weib, welches des Kindes
Mutter ist.

Ciocchi. Wenn ich aber die holde Stimme nicht
mehr vernehme', und der Zauberer einsam in der
verschloßnen Gruft harren muß, wie der gefesselte
Merlin! Wenn ich den frühern Kunstwerken ent-

7 *

riſſen, den gegenwärtigen fremd, ahnungslos für die künftige, wie ein Hauch über der Erde ſchwebe, die ihm keine Blüthendüfte mehr auf die matte Schwingen ſtreut!

Dandinis Schatten. Frühere Schöpfungen der Kunſt mögen Wegweiſer, nie Tirannen ſein: uur ängſtliche Kritik bindet den Genius an ihre Formen; wo bliebe das Fortſchreiten, wenn es arti ſtiſche und äſthetiſche Beinſchellen gäbe? Die Gegenwart! Aber der Dämon in deiner Bruſt giebt ihr eigne Geſchenke, während er empfänglich für den Genuß fremder bleibt, und die volle ſüße Ahnung der Kunſtbegeiſtrung von dem, was ſein wird, entweicht erſt mit der Seele aus dem reichen Buſen des ächten Künſtlers.

Ciocchi. Die Hand der Freundſchaft, zur Hilfe dargeboten, fühlt ſich warm, vermag ſie auch nicht aufzurichten.

Dandinis Schatten. Nein! nein! du darfſt nicht kleingläubig ſein — nein! ſtraucheln kann der Erblindende, ſogar über die eignen Füße, aber fallen darf er nicht, ſo lange Genius und Freundschaft walten. Ich rufe dir beide aus der grauen Vorzeit.

Der Schatten des Apelles (vorübergleitend) Das schöne Dasein folgte mir von der kleinen Insel Kos in das Meer der Ewigkeit; ein seliges Eiland blüht mir auch dort.

Homers Schatten (ihm folgend) Blind sang ich die Thaten der Helden, blind sah ich das Labirinth der Odissee: voll und üppig lebte die Welt in meinem Innern, noch lebt sie da.

Ciocchi. O heilige, verhallende Töne! weilet länger um mich!

Dandinis Schatten. Hörtest du den Schöpfer der Anadiomene? den Mäoniden, hörtest du ihn?

Ciocchi. Weilet! o verliehrt euch nicht so schnell, ihr Himmelsstimmen!

Dandinis Schatten. Ihr Nachhall bleibe dir! an ihm erwache die innere Welt in deinem Busen!

Ciocchi. Ich fühl' ihr Tagen. O mein geliebter Meister, zum andernmale gewährst du mir das schönere Dasein.

Danbinis Schatten. Es sei dir ewig schön!
(Verschwindet)

Ciocchi (erwachend) Wo bin ich? welche
Gestalten umschwebten den einsamen Schlummer?
Waren sie mehr als Träume? Eine neue Seele
hat mein Leben erhalten, die langsam zerstöhrende
Sehnsucht ist Thatkraft geworden (Sich erhebend) Fahre wohl, Ruhebett! Fahrt dahin, ihr
Zweifel! (Palette und Staffelei einschlie-
send) Gehabt auch ihr euch wohl, treue Gefähr-
tinnen des Künstlers! mir lieb für immer, ob ich
euch gleich unbrauchbar entsage. Doch (er sezt
sich zum Schreibtische) verliehren will, werd'
ich euch darum nicht. Hier (die Hand auf Kopf
und Brust drükkend) hier steht ein ander
Kunstwerk, doch euch geheiligt. Benedetto! (lauter rufend) Benedetto!

Der Knabe Benedetto. Herr!

Ciocchi. (begeistert) Schreibe — eile,
schreibe!

Benedetto (die Feder in der Hand;
harrend) Herr!

170

Ciocchi (diktirend) La Pittura in Parnas-
so.

Dandinis Stimme (von ferne) Fühlst
du die Musen noch dein?

Ciocchi (nachhorchend, entzükt) Ja! es
war mehr wie Traum — seine Stimme — Apells,
des Mäoniden wahrhaftes Antliz — (In wachsen-
der Begeisterung) Schreibe flüchtig, Benedetto — mein Busen füllt sich, deine Hand fliege
wie er!

XXXIII.

Götterbekenntniffe.

„Von der Menschheit — du kannst von
ihr nie gros genug denken;"
„Wie du im Busen sie trägst, prägst
du in Thaten sie aus."

(An einen Weltverbefferer. B. 5-6)

Herkules. Hohe Kraft dem hohen Guten
widmen! das machte mich zum Gott, eh' ich noch
Halbgott wurde.

Bacchus. In hoher Kraft des hohen Daseins
geniesen! bei'm Vater Zevs, das gab mir Götterwonne, hätt' ich den hohen Olimp auch nimmer
erstiegen!

Apoll. Im ewig bildenden Kreislauf hoher
Kraft das Hohe nie untergehn lassen, so oft
sich auch die endliche Form verwandelt! das machte
mich olimpisch selig, auch da ich verbannt aus dem
Olimp unter Hirten wandelte.

Juno. Jenen Herkules bestimmte· der treulose Gatte zum Herrscher; ich zwang an Ate's Hand seine Kraft zum Gehorsam gegen den Schwachen.

Thetis. Den verzweifelnden Knaben Bacchus empfieng ich auf der nassen Flucht vor Likurgs Beil in meine Arme.

Neptun. Der Nordwind brachte mir die wandernde Latona; aus dem Grund des Meers rief ich Delos hervor, und Lorberbäume beschatteten Apolls Geburt.

Herkules. Dem Schiksal entwand ich durch Mühe den Kranz; ich helfe der Menschheit!

Bacchus. Der Fülle entblüht', ich Fülle gebend; die Menschheit erfreu' ich mit mir!

Apoll. Werdend half ich das Weltall entfalten; ich bilde die Menschheit.

Merkur (lächelnd) Am Alfeus opfert' ich mir selbst; Maja's heimlich Erzeugter jubelt im hohen Aufgebot der Kraft zu hoher Klugheit — die Menschheit dient ihm.

Jupiter. Söhne! auch Japets Abkömmlinge tragen das himmlische Feuer in ihrem Busen. Meine Macht gab euch die hohe Kraft, und ihnen das edle Vermögen. Ehrt dieses im Geschlecht, hebt es zu euch hinauf, nie sinkt nieder zu ihm!

XXXIV.

Der kleine Altar.

„Der Kern allein im schmalen Raum“
„Verbirgt den Stolz des Waldes,
den Baum,“
(Breite und Tiefe. Str. 3. V. 5-6)

Krösus lustwandelte fröhlich. Er dachte seiner Schäze, seiner Macht; im Schoos der reichen Natur versezte sich sein Geist nach dem goldstrahlenden Pallast' unter die glänzende Schöpfungen seiner Pracht zurük.

Und immer tiefer kam er in den flüsternden Hain, immer dichter umschlangen den Gedankenvollen mäandrische Irrgänge, er bemerkte den Verlust' des gebahntern Wegs erst, wie er auf verödetem Pfade vor die dürftige Hütte kam.

Er trat hinein, und der König von Lidien, Pamfilien und Misien stand in dem engen Raum dem kräftigsten und arbeitsamsten Sohn' des Waldes gegenüber. Reinlichkeit hatte mit unbeflekter Hand

die Reize ihrer Anordnung über die karge Einrich-
tung des Hüttenbewohners ausgestreut; nichts gebrach, dessen er bedurfte, aber er bedurfte uur
weniges, und von des reichen Krösus mächtiger
Freundin, der Pracht, war auch nicht die leiseste
Spur zu erbliken.

Der Hainsiedler zeigt' ihm Arbeit und Genuß;
beide giengen aus der Hand der Natur hervor.
Zulezt blieben sie vor einem kleinen Altar stehn.
Der Armuth heilig! so lautete die einfache Inschrift.

Wie! rief Krösus, der Armuth weihest du einen
Altar! Sie versezest du unter die unsterbliche Götter!

Sie wohnt unter ihnen, erwiederte der Genüg-
same; ich erkannte sie.

Jammer ist ihre Offenbarung.

Meiner Kraft lag diese in Kunst und Fleiß. Sie
war, sie ist mir Göttin.

Krösus erzählte später dem weisen Solon von dem
kleinen Altar, und auf dem Scheiterhaufen des Zi-
rus dacht' er des großen Sinnes und Solons in der
Offenbarung des Jammers.

XXXV.

Des Genius Tod.

„Mit dem Genius steht die Natur
in ewigem Bunde,"
„Was der eine verspricht, leistet
die andre gewiß."

(Kolumbus. B. 7 - 8)

Alfranor. Ist es wahr, guter Malkof, hat Termo wirklich —

Malkof. Die Wunderburg erbaut? Ja, mein Gebieter.

Alfranor. Und warum erfahr' ich das jezt erst Nachläsiger?

Malkof. Herr! wir verehren dich als einen der größten Magier —

Alfranor. Daran thut ihr wol.

Malkof. Das Buch dessen, was geschah und was geschehn wird, liegt weit offen vor deinen Seher= augen —

Alfranor. Ganz recht.

Malkof. Welcher deiner treuen Diener dürfte — konnte sich unterfangen, den armseeligen Trop= fen der Kunde in den Ozean des Wissens zu tragen? **Alfranor.** Ihr sollt das aber doch thun! der Geschäfte häufen sich viel bei mir, und prüfen will ich, üben sollt ihr euch!

Malkof. In Demuth kreuz' ich die Hände über der Brust, und gelobe treuen Gehorsam.

Alfranor. Nun berichte mir von Termo's Wunderburg.

Malkof. Vergieb im Voraus dem unvollkom= nen Erzähler. Du kennst den Felsen, der aus der wilden Bucht des Meers mit senkrechter Spize gen Himmel dringt, als wollt' er den alten Wol= kensiz durchbohren.

Alfranor. Ja, ja — (f. f.) Ich weiß kein Wort davon.

Malkof. Aus der freundlichen Heimath durch Feenverwünschung verstosen, kam der hohe Termo —

Alfranor. Halt elender Wicht! Ist Termo ein Zauberer?

Malkof. Ach nein! erhabner Gebieter.

Alfranor. Und du unterfängst dich, verwor=
fenster der Sklaven, ihn den Hohen zu nennen?
Ha! warte — ich will dich in eine Felsenrize klem=
men, und dein Leiden unsterblich machen, wie dich
selbst, wenn du dies noch einmal wagst — (s. s.)
Wenn er sich nur fürchtet — —

Malkok. Sieh mich zu deinen Füßen zitternd
um Vergebung flehn!

Alfranor (zufrieden) Steh auf, und
erzähl' weiter.

Malkok. Der arme Termo —

Alfronor So — so ist's recht.

Malkok. Kam zu dem spizen, dräuenden Fel=
sen, hörte das Meer mit vollen Wogen an den un=
erschütterten Fuß schlagen, sah die Wolken unter
dem stolzen Gipfel schweben', legte mit einem Kraft=
strahl im Feueraug' die Hand auf die wallende
Brust, warf einen Blik zurük nach der verlassenen
Heimath, einen himmelan, und —

Alfranor. Nun! machst du doch ein arges
Gewäsch, über die Pantomimenstreiche der heroischen
Marionette!

Malkof. Großmächtiger Herr! du geboteſt mir treuen Bericht, und wenn du befiehlſt, weiß der lezte deiner Sklaven nur zu gehorchen.

Alfranor. So befehl' ich dir denn zu endigen.

Malkof. Ich werd' es kaum ſchneller mit Wor‍ten vermögen, als Termo in der That konnte.

Alfranor. Du biſt mir noch den Nachſaz dei‍ner pathetiſchen Beſchreibung ſchuldig.

Malkof. Und — wollt' ich nach Erwähnung des Himmelsblikes ſagen — und rief: Dort oben find' ich die geraubte Wohnung wieder.

Alfranor. Der Tollkühne! die Verfügung ei‍ner Fee Raub zu nennen! Wie! und doch gelang es ihm?

Malkof. Aber, o mächtigſter der Zauberer —

Alfranor (lächelnd) Ich erlaube dir mei‍ne Hand zu küſſen, guter Malkof.

Malkof. O Wonne! — Aber voll gelang es ihm, erhabenſter der Geiſterbeherrſcher!

Alfranor (ihm nikkend) Ich ſchenke dir den kleinen Aſaſſiel — —

Malkof. Den niedlichen Silfen! laß' mich dankbar den Staub deiner Füſe küſſen —

Alfranor. Wie denn?

Malkok. Das weiß niemand. Alles sah zu', alles zweifelte, alles sah werden, alles schrie: Unmöglich, Termo wurde weder müd noch irre, die Zeit verfloß schnell, und wie durch ein Wunder erhob die Burg auf stolzer Felsenspize die stolze Zinnen, ohne daß wir aller Anstrengung ohnerachtet ein Wunder hätten bemerken können.

Alfranor. Der Wicht ist kein Zauberer?

Malkok. Ach nein! nichts als ein Mensch.

Alfranor. Gefährliches Beispiel!

Malkok. Das dacht' und sagt' auch ich!

Alfranor. Der hat es mit der sogenannten Natur.

Malkok. Ja, so sprach er.

Alfranor. Dem muß man steuren.

Malkok. Wird es möglich sein?

Alfranor. Elender! Uns ist alles möglich, auch des Genius Tod. Dein Glük, daß du nichts von diesem Gift' in dir trägst; das rettet dir nach solcher Frage das Leben. Nimm deinen Asassiel, und pakke dich auf ewig (Geht feierlich in sein Zauberkabinet.)

Malkof. O ich Armer! o armer Termo! Was wird aus uns werden! Alfranor ist ergrimmt.

Asassiel (herbeihüpfend) Sei zufrieden Malkof! aus Termo wird alles, aus dir nichts, und Alfranors Grimm bedeutet auch nichts, denn er hat — Zauberstab und Buch schon längst verlohren. Er nennt's — aufbewahrt.

———————

XXXVI.

Miston der Erde.

„Zwingt doch der irrdische Gefährte"
„Den Gottgebohrnen Geist in Kerker=
mauern ein;"
„Er wehrt mir, daß ich Engel werde,"
„Ich will ihm folgen Mensch zu sein."
(An einen Moralisten. V. 21 - 24)

Pluto's Klag' ertönte aus der Tiefe des Schatten=
reichs zu dem brüderlichen Herrscher im hohen
Olimp. Schüze mein Reich, so rief er, wenn ich
dir einst das deinige gründen half. Ein neuer Ti=
tan wandelt stolz auf der Erde umher; Apolls Er=
zeugten nennt sich der Frevler Aeskulap, welcher
das heilbringende Werk der Parzen stöhrt, und
noch nicht zufrieden, den Eingang in die Unter=
welt zu verschliesen, auch die Schatten wieder aus
ihr entführt, und dem Leben zurükgiebt!

Jupiter sandte den mächtigen Vollzieher seines
Willens, den Blizstrahl. Entseelt sank Aeskulap

als das Opfer seiner Kunst. Zwar stieg er zu dem Göttersitz auf, und die Sterbliche weihten ihm Haine und Altäre; aber Apoll zürnte über den Tod seines Sohns. Der Donnerer war über jede Rache erhaben; darum ergriff Pithons Besieger das himmlische Gesches, und sandte den Schmieden des Blizes, den einäugigen Ziklopen die Pfeile in's Herz.

Ergrimmt sprach Zevs zu Latonens Sohn: Du hast meine Treuen getödtet, welche ich dem Tartarus entriß; jene Sterbliche, deren Leben Aeskulap gegen meinen Rathschluß in Schuz nahm, sind dir theurer, als der Wille deines Vaters. So verstoß' ich dich denn aus dem Olimp in ihre Mitte: werd' ihnen gleich, einer von ihnen, und lerne, des Götterglanzes unwürdig, der Erde Last und Mühen mit ihnen tragen.

Föbus sah sich plötzlich von den Zinnen des Olimps in Admets Thäler versezt. Die Hülle des Menschenthums umfaltete ihn; schön wie ein Gott schritt er in hoher Menschenkraft einher. Doch Theßsaliens Söhne fanden und banden den Fremdling: vor ihren König Admet führten sie ihn. Umsonst

ſtrahlte ſein Aug Himmelsfeuer, unſonſt ruht' olim=
piſche Würde auf der heroiſchen Stirn', der Wol=
laut ſeiner Stimme kundete umſonſt den verborg=
nen Gott. Der Ausſpruch der Sklaverei traf den
gefangnen Fremdling, Admet gab ihm ſeine Heer=
den zu hüthen.

So bedarf es denn der Zunge deutlichſte Sprache
für euch, Blindgebohrne, rief der Gott im ſchmerz=
lichen Getühl ſeiner Erniedrigung, und dieſe Zun=
ge iſt mir durch Jupiters Macht gebunden. Ahnen
laſſen konnt' ich euch, wer ich bin; doch ausſpre=
chen darf ich es nicht! So will ich denn eine Welt
von Wundern um euern ſtumpfen Sinn verſam=
meln; Wunder ſchaffend will ich Menſch mit euch
ſein, und den Miston der Erde verſüſen, bis
die hehre Flamme aus meinem Innern das eurige
entzündet, und ihr dankbar=ſtaunend das Pfand
aus der Hand des Schikſals inne werdet!

Hirt mit den Hirten weidete er in den blühen=
den Thälern des ſchönen Theſſaliens; Geſang und
Saitenſpiel begleiteten ihn, und zogen mit un=
widerſtehlicher Macht alles, was lebt' und fühlte,
ſeinen Fußſtapfen nach. Er lehrte den Mädchen die

holde Gewalt des Liedes, den Jünglingen lehrte
er das liebliche Geheimniß, Wollaut aus unschein,
baren Saiten zu lokken; die keimende Kindheit hüpf,
te froh um ihn, verjüngenden Geist holte sich das
Alter in seiner Nähe, die Trauer suchte Heiterkeit
bei ihm, und die schmerzliche Thränen des Kum,
mers verwandelt' er in die sanfte wolthuender Weh,
muth.

Wer bist du? fragte der erstaunte Admet.

Sohn des Pheres, erwiederte der verhüllte Gott,
ich bin — dein Sklave.

Aber die Zaubergaben des Wollauts — wer ver,
lieh sie dir? Wer gab dir die Macht, meine wilde
Thessalier in friedlich-freundliche Söhne einer durch
dich verschönerten Natur umzuwandeln?

Mit sanft glühender Wange versezt' Apoll: Das
ist die Gabe der Götter.

Zweifelnd betrachtete Admet den himmlischen Gast.
Wer du auch seist, fuhr er fort, hör' auf mein
Sklave zu sein; werd' mein Freund, und bleibe
mir und meinem Volk' Wolthäter.

Ich will es, sprach der Gott, der die Hand des
Königs faßte. Ein heiliger Schauer säuselte durch

Admets Gebein, und alles um die beiden her fühlte den heiligen Schauer.

Seitdem blühte Thessalien noch lieblicher, seine
Bewohner wurden noch milder und glüklicher, als
zuvor: alles segnete mit stillem Jubel die Götter,
und fühlte Götternähe, ohne sie zu entfalten.

Da beschlich die süse Liebe das Herz des frohen
Admets. Pelias schöne Tochter, Alzeste wurde sein
stiller Wunsch, und bald seine laute Sehnsucht;
doch das Glük lächelte seinem verlangenden, glühen-
den Herzen nur in den Augen der Geliebten, Pelias zog von der dargebotnen Rechten die väterli-
che Hand zurük. In den Armen des Freundes weinte der Trostlose seinen Kummer aus; und Apoll
erblikte, ihn tröstend, in den Geheimnissen der
Götterwelt den Unwillen der Schwester über das
unterbliebne Opfer. — Admet hatte, zu den Göttern für den Erfolg seiner Liebe flehend, Diana's vergessen, und sie wekte jezt in dem Busen des Pelias
verderbliche Entwürfe.

Wann du, so sprach der Vater der Geliebten zu
dem bittenden Admet, in einem Wagen, den Löw'
und Eber in freundlicher Eintracht ziehn, die Braut

heimzuholen kommst, dann sei sie dein! Hämisch lächelnd wandte sich Pelias von dem Erstarrten, und
wie das Starren der Ueberraschung sich löste,
jammerte der Unglükliche laut an Apolls Brust.

Dein Glük sei meine Sorge! flüsterte der Gott
im Menschen; laß' uns Hand an's Werk legen!

Einige Monden vergiengen, und siehe! von der
bildenden Hand des olimpischen Verkannten gezähmt,
zogen in friedlicher Gewohnheit der Löwe mit fun-
kelnden Augen und der schnaubende Eber den
Brautwagen. Entzükt stand Admet, den eignen
Augen kaum trauend, vor dem fabelhaften Gespann;
jubelndes Volk umgab, den Bändiger preisend,
die beiden; voll dankbaren Jubels drükte Thessali-
ens König den Wunderhirten an sein Herz.

Du bist ein Liebling der Götter! rief er. O sage mir's, wer du bist?

Dein Freund! erwiederte Apoll.

Mein Beglükker!

Alles fühlte die Götternähe, doch niemand erkannte noch den Gott.

Die Liebende waren vereinigt, die Hochzeitfakkel flammte, schon zog die Nacht am Himmel herauf;

das seelige Paar nahte der Brautkammer. Ent=
sezen sprüht' ihm aus den Feuerrachen geflügelter
Ungeheuer entgegen, und giftige Schlangen zischten
Tod. Die zürnende Diana hatte sie gesandt.

Der Freund vernahm den Angstruf der Bangen.
Er flog, er sah, er siegte: der Pithische vertilgte
schnell wie ein Blizstrahl die Giftbrut, dankbar
sanken die Liebende, anbetend das Volk zu seinen
Füßen. O du bist mehr als ein Mensch! riefen sie.

Ich werd' es, da ihr mich im Menschen erkennt!
Der Erde Miston verschwand! sprach der strahlen=
de Gott.

Apoll, Föbus=Apoll! schrien tausend anbetende
Stimmen.

Als Mensch euer Freund! euer Beschüzer fortan!
Glüklich machtet ihr das Erdenleben mir ; es bleib'
euch so! und trennt das Schiksal einst, was der Gott
verband, so send' ich einen Halbgott zur Rettung!

Das Jahr der Buse war um ; Apoll stieg wieder
zu den Olimpischen auf, und sandte später dem trau=
ernden Admet, der treuen Alzeste den rettenden
Herkules.

XXXVII.

Der Friedensheld.

„Was der Gott mich gelehrt, was mir
durch's Leben geholfen,"

„Häng' ich, dankbar und fromm, hier
in dem Heiligthum auf."

(Votivtafeln. V. 1 - 2)

Flechier. Wozu diese Zögerung, Freund?

Der Bildner. Monseigneur! Ihre Neffen
baten mich — verboten — sie wünschten —

Flechier. Wollten nicht, daß mich Ihre Zeich-
nung meines Grabmals an den Tod errinnere,
nicht so?

Bildner. Mit nassen Augen beschworen sie
mich um — — —

Flechier. Um Nichterfüllung meiner Bitte? —
Meine Neffen folgten ihrem Herzen, laßen Sie
mich dem meinigen folgen, Freund! — Ihr Ent-
wurf?

8 .

Bildner. Ist doppelt fertig.

Flechier. Geben Sie — (Pause der Prüfung) Ich wähle diesen hier.

Bildner. Er ist so einfach, Monseigneur —

Flechier. Ich war es auch, und mein Wunsch ist, das Denkmal, welchem ich doch nicht ausweichen kann, noch selbst in Harmonie mit meinem Leben zu sezen.

Bildner (warm) Der sanfte Freund des anders Glaubenden, der Retter kläglicher Opfer aus den Händen des Fanatism, der wolthätige Vater der Armen, der schlichte Nachfolger der Apostel, o was verdient' er nicht!

Flechier (lächelnd) Sie greifen in meine Rechte, lieber Mann; ich bin Redner, Sie haben den Ausdruk der bildenden Kunst zu Ihrem Loos.

Bildner. Darum erlaube mir Türennes Verewiger auch die Feier seines Ruhms!

Flechier (sanft und bestimmt) Es bleibt bei meiner Auswahl.

Bildner. Ich gehorche zum erstenmal der Stimme meines Bischoffs ungern.

Flechier. Leben Sie wol, Freund, und beei=
len Sie Ihr Werk; es ist hohe Zeit.

Bildner (mit unterdrüktem Schmerz)
Ach! daß ich dem Heiligen glauben muß! (Sich
entfernend)

Flechier (himmelwärts) Für den weiß=
sagenden Todestraum dank' ich dir. — Den Armen
meine Ersparnisse! dir o Gott meine Seele — der
Welt dankbare Erinnerung und ein harmlos Bei=
spiel!

XXXVIII.

Anfrage.

„Keiner sei gleich dem andern, doch
gleich sei jeder dem Höchsten!"
„Wie das zu machen? Es sei jeder voll
lendet in sich."
(Aufgabe)

Ludwig XI. Ich geb' Euch einen wichtigen
Auftrag, Kardinal, indem ich Euern kriegerischen
Wunsch erfülle.

Kardinal la Ballue. Eure Majestät sollen
Ihre italienische Truppen zur rechten Zeit im rech-
ten Stand' erhalten. Der Himmel beschirm' Eure
Majestät. (Geht. Getös' im Vorzimmer)

Marschall de Rouault (von fünfzig
Edelleuten begleitet) Wir kommen Euer
Majestät Befehle nach Angers zu erbitten.

Ludwig XI. Was soll das Getöse? die Frage?

Marschall. In Kardinal la Ballue's verwais-
ter Kirche wollen wir — Priester weihen.

Ludwig XI (nach einer Pause des Nach-
sinnens). Page! ruft den Kardinal zurük! (lächelnd zum Marschall) Ihr sollt den ausge-
tauschten Beruf wieder eintauschen — Er weihe,
holt Ihr die Truppen.

———————

XXXIX.

Sichere Freistätte.

„Just das Gegentheil sprech' ich: es
giebt kein Ding als mich selber;"
„Alles andre, in mir steigt es als
Blase nur auf."

(Die Filosofen. Str. 7)

Behaglich schritt Chinam in der Welt umher,
die Hände über dem gesättigten Magen faltend,
vom feurigen Schiras gewärmt, umrauscht von
milden, wol bedeckenden Stoffen, filosofirt' er in
seinem sorgebefreiten Sinn' über Welt, Natur und
sich selbst. Die erste erklärt' er für die beste, die
andre für eine vortreffliche Dame, sich' für einen
vollendeten Weisen, dem nichts fehle, weil er alles
missen könne. Nur in sich muß sich der Mensch
versammeln, sagt' er mit aller Kälte des Lehrtons;
das Außenwerk dien' ihm, und sein ist dann das
Glük, sein die sichre Freistätte vor jedem Ungemach.

Er, hörte sich mitten unter den stattlichen Be
trachtungen von einer klagenden Stimm' unterbro-
chen. Wieder eine schwache Seele, rief er verdrüßlich, welche dem Kampf mit dem sogenannten Schiksal unterliegt, und uns Starken nur beschwerlich
fällt.

Indem er dem nahen Ton' und Sohn des Schmer-
zens ausbeugen wollte, fand ihn dieser mit dem
Hilfe suchenden Blik auf; schnell lag der Jammernde zu des Wandernden Füßen, umfaßte sie innig,
und schrie: Siehe! sieh' da meine sterbende Mutter.—
In demselben Moment röchelte sie ihren lezten
Seufzer aus. — Tröste dich mein Sohn, sprach
Chinam, alles Endliche ist vergänglich; ihr ist nun-
mehr wol, wirf dich in die Welt, unterdrük' den
unmännlichen Schmerz die sichre Freistätte des Starken ist im Innern seines Busens.

Unmuthig riß der Jüngling das Gewand von der
Brust: vier Narben rötheten sich dem erstaunten
Blik des überraschten Sprechers entgegen. Sie
empfieng ich für's Vaterland! rief der Trauernde
mit glühendem Auge, zeig' mir die deinigen,
Starker!

Betroffen schaute Chinam vor sich hin. Mit steigendem Unmuth riß der Jüngling das Gewand von der Filosofenbrust, und fand eine weise ungekränkte Haut, welche einer Schönen des Landes Ehre gemacht hätte. Er warf das Glutaug — auf Chirams ergrauende Loffen, drükte dann die nervige Faust vor die Stirn, und rief: Wie mag das Innere dieses Busens beschaffen sein, der sich nie der Gefahr für's Vaterland entgegen wagte!

Erröthend nahm Chinam das Wort. Unkluger Jüngling, sprach er mit heroischem Ernst — Verlauter, wer schilderte dir mein Leben, daß du ein solches Urtheil dem unreifen Kopf erlaubtest?

Dies Herz! rief der Jüngling — mein Herz urtheilt über den Helden, welcher den Tod nicht begrüßte, und über den Weisen, den ich um Hilf für's Leiden bat, und kalt fand.

Ich wachte für das Wol der Menschheit —

Und für das Vaterland?

Ist's nicht in jener enthalten? Für Jahrhunderte sät' ich aus.

Wo sind die Aerndten für deine Brüder?

Ungenügsamer! laß sie reifen; mein Verkehr
ist mit der Ewigkeit.

Gabst du der Zeit dein Opfer?

Ja! die Geduld mit euch gewöhnlichen Menschen.

Selbstgott!

Göttlichkeit ist mein Beruf, du hast Recht,
Dir selbst Welt!
Das ist des Weisen Vorzug,
Und darum — Unmensch!

Dahin gieng der Jüngling mit der frommen Last
der mütterlichen Leiche, indem er noch einen Blik
tiefer Verachtung zurüksandte. Einige Sekunden
der Verwirrung schwirrten über Chinam; doch bald
war die leichte Unruh' der Brust, gleich vorübergehns
dem Kräuseln der Welle, beschwichtigt.

Nur in sich muß sich der Mensch versammeln,
predigt' er mit kaltem Tone den flüsternden Büschen
und dem zischenden Innern — das Aussenwerk dien'
ihm, und sein ist dann das Glük, sein die sichre
Freistätte vor jedem Ungemach.

XXXX.

Das Waarenlager.

„Einen Augenblik nur vergönnt mir
außer mir selber"
„Mich zu begeben, und schnell will ich
der Eurige sein."
(An die Profelitenmacher. V. 3-4)

Thaor. Hieher, edler Jüngling —

Roldar. Wer ruft?

Thaor. Ein alter, treuer Freund der Weisheit.

Roldar. Und wohin?

Thaor. Hieher in ihr und mein Vorrathshaus.

Roldar. So wäret ihr wirklich so nah verbun-
den!

Thaor. Mit ihrer Milch tränkte sie mich; ihre
Wolthaten weiter zu spenden, ist mein süßes Geschäft.

Roldar (eintretend) In Wahrheit! Hier
findet sich vielerlei angehäuft.

Thaor. Und Vieles.

Niger. Nichts als Vortreffliches.

Roldar. Wer ist dieser?

Thaor. Mein Gehilfe.

Roldar. Auch der Weisheit Freund?

Thaor (leise) Ihr Diener nur — aber ein guter Mann.

Roldar (laut) Ist ihr Freund und ihr Diener sein, nicht dasselbe?

Thaor (drükt ihm die Hand) Erlaube, daß ich's nicht länger verschiebe, dich mit unsern Schäzen bekannt zu machen. — Sieh hier vorerst — die Gelehrsamkeit aufgeschichtet —

Roldar. Wo habt ihr den Geist aufbewahrt?

Thaor. Der kömmt in seiner Reihe — gedulde dich nur Lieber.

Niger. Alles hübsch in der Ordnung, junger Mann!

Roldar (ihn betrachtend) Du scheinst deiner Göttin mit ziemlich gebieterischem Ton zu dienen.

Niger. Lerne nur erst die Welt und unsre Weise besser kennen. Ich lehrte Jahre hindurch!

mein Herr und Meister aber besorgt das Sanfte, liebliche des Gesprächs.

Thaor. In diesen Registern findest du alles, was wir Menschen wissen und nicht wissen, ausführlich verzeichnet, schnell zu finden. Der Geist muß sich nicht mit positiven Kenntnissen überladen, sonst erstikt er die Himmelsflamme, aber das Selbst denken, das, das kann er gar nicht genug üben. Elementarkenntnisse erwirbst du dir bald, wo du sie brauchst; aber die Kraft des Verarbeitens bedarf lang' anhaltender Ausbildung.

Niger. Doch wirst dn wolthun, dich fleissig auf diesen Folianten zu wälzen; nach und nach sammelt sich ein dichter Federbalg um deine Gliedmassen, und du kannst stolz einher schreiten, als wärest du ein gebohrner — Adler der Gelahrtheit.

Thaor. Hier gleich neben an findest du das Arsenal der Klugheit.

Roldar. Wozu diese Puppen?

Thaor. An ihnen lernen die Lehrlinge der Weisheit das Lenken der Menschen.

Roldar. Aber sind Menschen auch Puppen, um sich der so erlernten Klugheit zu fügen?

Thaor. Untersuche dir die Gestalten etwas näher.

Roldar. Wie! Mumien!

Thaor. Mit nichten, lieber Jüngling — es sind präparirte Menschen.

Niger. Vervollkomnete, will das sagen, brauchbare.

Thaor. Dort in jenen Flaschen befindet sich zu unserm Gebrauch der Geist, welchen wir zu ihrer Erleichterung aus ihnen abzogen.

Roldar. Dafür ließen sie auch ihr Leben!

Thaor. Behüte! Essen und Trinken schmekte ihnen nun weit besser, und wenn wir sie zur gedeihlichen Leibesbewegung einspannten, so küßten sie uns dankbar die Hände.

Roldar. Ihr spanntet sie ein!

Niger. Sachte; sachte! Hier hab' nur ich das Recht zu schreien.

Thaor. Ja, mein Bester, aber nirgend anders, als in dem Wagen der öffentlichen Glükseligkeit. Sie befanden sich recht wol, wir gaben ihnen auch schönes Geschirr — nicht zuviel Futter, das mästet

zu sehr, macht ungesund und faul — aber so eben
recht, und zuweilen ein ausserordentliches Beloh=
nungsfutterchen — Hu! da knupperten sie so ver=
gnügt, und in der ganzen Zwischenzeit waren sie,
der schönen Hoffnung voll, so mild und bescheiden,
so geschmeidig und gehorsam, daß es eine wahre
Lust gab —

Niger. Nu — du wirst ihrer sehn, in Stall
und Arbeit, und zufrieden sein —

Roldar. Und diese hier! Sie leben denn doch
nicht mehr?

Thaor. Nach und nach erloschen sie, aber recht
sanft, recht leicht — dann bestrichen wir sie mit dem
Oel des Verdienstes — —Hier hast du eine Flasche
davon —

Roldar (lesend) "Essenz des Nachruhms."—
Die Götter seien mir gnädig, das riecht ja wie
Theer —

Thaor. Ja wol — ein wenig stark mußt' es sein,
damit die edle Ueberbleibsel für die Schule erhalten
würden — die Geschichte der Zeit muß ja der Ferne
zeuen.

N i g e r. Das Naserümpfen verbitt' ich mir hier in meinem Wirkungskreise. Wir haben allein Recht, ganz allein.

R o l d a r. Was bedeuten jene Larven?

T h a o r. Bienenkappen für die Welt. Du begreifst — Das Gute hat Feinde, die Feinde haben oft Stacheln; man muß sich in Acht nehmen —

N i g e r. Das Larvenmagazin verwaltet mein Herr und Meister allein: ich bin, den Göttern sei's gedankt! so häßlich, daß ich von meinem eigentlichen Gesichte genug verwahrt werde.

T h a o r. Alles für das Gute! In diesem Schranke befinden sich die Wolthaten.

R o l d a r. Diese wär' ich begierig zu sehen.

T h a o r. Es soll damit keinen Augenblik anstehn, so bald du nur uns zugeschworen.

N i g e r. Umsonst giebt's hier nichts.

R o l d a r. Aber — Wolthaten?

T h a o r. Sieh, edler Jüngling, auch die Weisheit hat ihre Launen —

R o l d a r. Daß ich nicht wußte.

N i g e r. O du wirst noch gar viel lernen müssen, wenn du bei mir in die Schule gehst. Das wird dir recht nüzlich sein.

Thaor (winkt Nigern Stillschweigen zu) Wir müssen gerecht sein, aber der milde Strahlenkranz der Wolthätigkeit thut der Gerechtigkeit gut, und diese leiht wieder von ihrem ernstern Schimmer etwas an jene aus.

Koldar. Welch Gewerbe!

Niger. Kurz! dem einen geschieht die Gnade, nicht Unrecht dem Andern.

Thaor. Darüber muß die Weisheit frei und selbstständig bleiben; ich habe nun einmal meinen Sinn darauf gesezt.

Koldar. Lebt wol, wenn — ihr's vermögt.

Thaor. Du willst hinweg?

Niger. Keiner von den Unsern bleiben?

Koldar. Sobald ich aufhören kann, ich selbst zu sein, komm' ich wieder in euer Waarenlager.

XXXXI.

Der weite Flug.

„Es glänzen viele in der Welt,"
„Sie wissen von allem zu sagen,"
„Und wo was reizet und wo was ge-
    fällt,"
„Man kann es bei ihnen erfragen;"
„Man dächte, hört man sie reden laut,"
„Sie hätten wirklich erobert die
    Braut:"
„Doch gehn sie aus der Welt ganz still;"
„Ihr Leben war verlohren."

(Breite und Tiefe. Str. 1. u. 2. V. 1-2)

An einem schönen Abend fuhr plözlich Szithiens Abaris auf seinem ‚Flügelpfeil' unter die Griechen vor Troja. Da ist unser Mann, riefen die Kriegs-rathhaltende — da ist er! ein Profet und ein Luft-segler; ihn schikken die Götter unserer Verlegenheit.

Der weise Abaris rieb sich die Stirne, ließ sich bewundern und bitten, und sprach endlich mit wichtigen Mienen: Ihr guten Leute, weit war, weit ist noch mein Flug, wichtig mein Geschäft, doch der unwiderstehliche Hang, der mich im Vorüberschweben aus der Luft zu euch herabzog, euch einen fröhlichen Abend zu wünschen, er nöthigt mir auch einige Zeit ab, eure Wünsche zu erfüllen. Dies hartnäkige Troja soll ich euch beseyn? wahrsagen soll ich euch, wann es Gräziens Waffen fällt? Geduld! ich fliege schon wieder.

Damit schwang er sich auf, und über die alte Stadt des alten Tros. Dem Aar gleich kreißt' er hoch in den Lüften auf dem Apolls = Pfeil; das Geschoß der Belagerten sendete ihm vergeblich irdische Pfeile nach; sie erreichten den Wundermann nicht, mit frohem Jubel folgten ihm der Griechen Blikke, mit heißer Ungeduld harrten sie seiner Wiederkehr, als ihn die Nacht ihrem Aug' entzog, und lautes Willkommen empfieng ihn, da er mit dem ersten Schimmer des Morgenroths wieder in ihre Mitte sank.

Viel Zeit kostete mir's, seufzt' er. Fragen stürm=
ten auf Fragen; er hatte alles gesehen, doch nur
flüchtig, denn — die Zeit war zu kurz und sein
Flug noch weit. Bitten folgten auf Bitten, über
Krieg und Sieg zu weissagen: er rief mit der
Würde des Begeisterten den hohen Apoll an, aber
die Zeit vergieng über den Gebeten, und sein Flug
war noch weit. Endlich erhob sich auf den Trüm=
mern bewundernder Andacht lautes Murren—Zwingt
ihn zu sprechen! rief alles, alles lief durcheinander,
polterte, lärmte — Abaris war verschwunden.

Erstaunt sahen die Griechen aufwärts; da schweb=
te noch wie ein kleiner Punkt in blauer Luftferne
der zum weiten Flug still entschlüpfte, pfeilreiten=
de Marktschreier.

XXXXII.

Gaſtfreiheit.

„Adel iſt auch in der ſittlichen Welt.
Gemeine Naturen"

„Zahlen mit dem was ſie thun, edle mit dem was ſie ſind."

' (Unterſchied der Stände)

Le Tellier-Louvois, Erzbiſchoff von Rheims. Iſt der Wagen angeſpannt?

Kammerdiener. In zwei Minuten iſt alles fertig. (Macht ſich noch etwas im Zimmer zu thun)

Erzbiſchoff (lebhaft) Was giebt's noch?

Kammerdiener (verlegen) Es iſt — ich hätte —

Erzbiſchoff (ungeduldig) Nun!

Kammerdiener. Ein Fremder, deſſen —

Erzbiſchoff. Fort! Fort! Ein Bettler etwa — gebt ihm etwas — brauch' ich das zu wiſſen?

Kammerdiener. Kein Bettler, Monseigneur, aber ein Mann, der seinen Wagen gebrochen hat, und um einen Platz — in dem Ihrigen bittet, da er auch nach Versailles geht.

Erzbischoff. Wer ist der Mann? von Stande?

Kammerdiener. Ich halt' ihn dafür, Monseigneur — er sieht vollkommen rechtlich aus.

Erzbischoff. Was nennt Ihr rechtlich? Ob er gut gekleidet ist, frag' ich.

Kammerdiener. Einfach, aber gut, Monseigneur.

Erzbischoff. Hat er Bediente?

Kammerdiener. Ich denke.

Erzbischoff. Erkundigt Euch.

Kammerdiener (nach einer kleinen Pause zurükkommend) Er hat seine Leute nach Versailles vorausgeschikt, Monseigneur.

Erzbischoff. Hm! etwas! aber nicht alles — fragt, ob er von Adel sei.

Kammerdiener. (Geht und kommt wieder) Ja, Monseigneur, von Adel.

Erzbischoff. Nun gut — er mag kommen;

ich steige jezt in Wagen, und werde ja sehn, was an ihm ist.

Vor dem Gasthofe.

Erzbischoff (im Wagen) Wo denn?

Der Fremde (nahend und grüsend) Monseigneur —

Erzbischoff (mit leichtem Kopfnikken) Gehorsamer — (rükt, um etwas Plaz frei zu lassen) Man hat mir gesagt — (ein Ludwigskreuz erblikkend) Ich bedaure, mein Herr, daß Sie warten mußten; aber ich mußte doch wissen, wem ich eine Stelle in meinem Wagen gab — Sie werden das natürlich finden. Ich weis nun, daß Sie Edelmann sind, und ich sehe (auf das Kreuz blikkend) daß Sie gedient haben.

Der Fremde (immer noch ausserhalb der Kutsche) So ist's, Monseigneur.

Erzbischoff. Und gehn nach Versailles?

D. Fremde. Ja, Monseigneur.

Erzbischoff. Vermuthlich in Geschäften bei der Kriegskanzlei?

D. Fremde. Nein, ich habe mit der Kanzlei nichts zu verkehren. Ich gehe hin, mich zu bedanken —

Erzbischoff. Bei dem Minister von Louvo's?

D. Fremde. Nein, Monseigneur, bei dem König.

Erzbischoff (zurükfahrend, macht etwas mehr Plaz) Bei dem König!

D. Fremde. Ja, Monseigneur.

Erzbischoff. Der König hat Ihnen also wol neuerlich eine Gnade erzeigt?

D. Fremde. Nein, Monseigneur; es ist eine weitläufige Geschichte.

Erzbischoff. Erzählen Sie nur.

D. Fremde. Vor zwei Jahren verheirathet' ich meine Tochter an einen Mann ohne sonderliches Vermögen (Der Erzbischoff rükt wieder auf den leer gelaßnen Plaz vor) aber von sehr grosem Hause (Der Erzbischoff rükt zurük) Seine Majestät geruhten an dieser Verbindung Theil zu nehmen. (Der Erzbischoff rükt weit zurük) und sogar meinem Eidam das erste erledigte Gouvernement zu versprechen.

Erzbischoff (ertattert) Ein Gouvernement! — Ein kleines vermuthlich — in welcher Stadt?

D. Fremde. In keiner Stadt, Monseigneur; ein Provinz-Gouvernement.

Erzbischoff. Ein Provinz-Gouv — — —!!! (Er fährt in den Kutschenwinkel zurük) — Ein Provinz-Gouvernement!

D. Fremde. So ist's Monseigneur. Da nun ehestens ein solches erledigt wird —

Erzbischoff. Welches?

D. Fremde. Mein eignes, das von Berri, welches ich an meinen Eidam abtreten will —

Erzbischoff (höchst betroffen) Wie! mein Herr! Sie sind Gouverneur von Berri! Sie sind also der Herzog von A***! (will aus dem Wagen)

Der Fremde. Nicht doch, — — nicht doch, Monseigneur!

Erzbischoff. Aber warum sprachen sie auch nicht, mein Herr Herzog; es ist unglaublich — unmöglich — Wie konnten Sie mich so kompromittiren? Vergebung, ich bitt' inständig darum, Vergebung, daß ich Sie warten ließ. Der Schöps von Bedienten sagte nichts — — Wie glüklich, daß ich noch auf ihr Wort glaubte, Sie seien von Adel. So viele Leute geben sich dafür aus, ohne es zu sein — und der Wappenkönig ist ein — Schelm. Ach! Herr Herzog, ich bin ganz beschämt — ganz außer mir —

Der Fremde. Finden Sie sich, Monseigneur. Verzeihen Sie Ihrem Bedienten der sich begnügte, mich als einen ehrlichen Mann zu melden. Verzeihen Sie dem Wappenkönig, der Sie der Gefahr aussezte, einen alten Soldaten ohne Titel in Ihren Wagen aufzunehmen. Verzeihen Sie endlich mir, daß ich nicht zuerst meinen Stammbaum und dann meine Bitte schikte.

———————

9

XXXXIII.

Jahre und Kraft.

„Alles Höchste, es kommt frei von den
Göttern herab;"
„Wie die Geliebte dich liebt, so kom,
men die himmlische Gaben."
(Das Glük. V. 14 - 15)

Ein Volkstribun. Der kühne Jüngling!

Ein andrer Volkstribun. So wenig ach,
tet er das Gesez!

Ein alter Konsularis. Die Väter und
das Volk müssen hier gemeinschaftliche Sache ma,
chen.

Ein Kandidat. Es gilt althergebrachter Ord,
nung.

Ein andrer Kandidat. Dem Heil des Va,
terland's, das an der Ordnung der Vorfahren ruht,
wie das Kind am Busen der liebenden Mutter.

Ein Zenturio. Und nebenher gilt es euerm
Gesuch!

Zweiter Zenturio. Nur das Unverdienst hüllt sich in die Falten des fremden Mantels. Wollt ihr das Vaterland mit nichts als weisen Locken und frisch grünender Thorheit beschenken?

Erster Volkstribun. Man höre den kecken Plauderer!

Der Konsularis. Weit ist es mit Rom gekommen, wenn die Jugend unsre grauen Haare ungestraft höhnen darf.

Ein alter Krieger (drängt sich aus den horchenden Volksgruppen vor) Auch ich bin ein Greis, wie du — wäre Spott für's Alter vorhanden, dann träf' er auch mein Haupt. Aber ihr leiht der unwürdigen Sache den würdevollen Vorwand. Das duld' ich nicht!

Ein Haufe Veteranen (sich ihm nachdrängend) Wir dulden's nicht.

Volkslärm. Was ist's? — — Stille! Stille! — Wir wollen — unser ist die Wahl.

Der alte Krieger. Hört mich, Quiriten!

Volk. Hört! Hört!

9*

Der alte Krieger. Wie, Quiriten, dem edlen Publius Kornelius Szipio wäre der Stuhl des Aedils untersagt, weil er noch nicht sieben und zwanzig Jahre zählt? meßt ihr das Verdienst nach Tagen und Monden? ist's eine Pflanze, die nur zur bestimmten Zeit reif wird?

Erster Volkstribun. Euer Gesez ist klar, Quiriten —

Zweiter Volkstribun. Und eure Freiheit ruht im Gesez — Ihr ehrt und erhaltet beide zu- gleich.

Erster Volkstribun. Publius Kornelius vollendete kaum das ein und zwanzigste Jahr.

Der alte Konsularis. Fürchtet der Götter Zorn!

Der alte Krieger. Fürchtet ihn, wenn ihr die Gabe zurükstoßt, die sie euch huldvoll bieten!

Haufe der Kandidaten. Hinweg! Hinweg mit dem alten Lästerer.

Haufe der Veteranen. Er soll reden! er soll! Sind wir nicht Bürger? bluteten wir nicht für Rom?

Volk. Hört ihn! hört!

Der alte Krieger. War er's nicht, war es nicht dieser kühne Jüngling, wie ihr ihn nennt, der Edelmüthige, Tapfre, der achtzehn Jahre alt dem Vater im Waffengewühl das Leben, und Rom den väterlichen Helden rettete? — Ich sah es, des herrlichen Sohnes Opferblut sprützt' auf mich, auf mich fiel des Vaters erster Freudenblik!

Die Veteranen. Wir sahen's, an unserer Spize focht der junge Löwe — wir sahen's.

Volk. Heil ihm! Heil dem Publius Kornelius! Heil dem edlen Geschlecht der Kornelier!

Der alte Konsularis. Sohnespflicht! mehr nicht!

Der alte Krieger. Hast du einen Sohn, alter Mann? Ward dir's so wohl, mit ihm für Rom zu kämpfen? dem Tode für's Vaterland nah, dem Arme des Sohns das Leben für's Vaterland zu danken? Nein! Alter du bist ein kinderloser, waffenloser Schwächling gewesen — bist's noch!

Die Veteranen. Hinweg! hinweg!

Zweiter Volkstribun. Das Alter sei euch heilig, Quiriten!

Der alte Krieger. Am heiligsten Rom! diese Kraft blüht ihm — laßt sie nicht von dem Eis erdrükken, Quiriten, welches der Neid aus Greisenhand nach ihr schleudert — Auch ich, auch diese Veteranen — ich sagt' es schon — wir sind Greise — wir begehren doch den Jüngling zum Aedilen!

Die Veteranen. Wir begehren ihn!

Volk. Wir begehren ihn!

Die Volkstribunen. Stille!

Die Kandidaten. Er kommt!

Die Veteranen. Er kommt!

Volk. Heil! Heil! Heil dem Publius Kornelius Szipio!

Erster Volkstribun. Publius! Zeige deinen Muth im Gehorsam gegen das Gesez.

Zweiter Volkstribun. Tritt zurük von der Bewerbung!

Der alte Konsularis. Um so rühmlicher trittst du einst nach dem Ruf der Ordnung auf.

Die Veteranen. Bleibe! bleibe! Das Vaterland bedarf Männer!

Der alte Krieger. Männer bedarf das Vaterland, Quiriten!

Die Volkstribunen. Zurük der Frevel vom Heiligthum!

Szipio (um sich her schauend, ruhig) Dem Vaterlande weiht' ich mich, ich ehre das Gesetz, ich liebe meine Mitbürger — Wollen mich alle zum Aedil ernennen, so glaub' ich alt genug zu sein!

Volk. Heil dem Publius Kornelius Szipio! Heil dem Aedilen!

Der alte Krieger. Heil euch selbst, ihr Quiriten. (Zu den Widersachern) Eine Verschwörung gegen sich selbst geht das Alter mit Eitelkeit und Gewohnheit ein; laßt, Bethörte, der kräftigen Jugend des Genius den Lorber!

XXXXIV.

Geübte Hand.

„Das ist eben das wahre Geheimniß,
das allen vor Augen"

„Liegt, euch ewig umgiebt aber von
keinem gesehn."

(An die Mistiker)

Skopas. Du hast uns ein schönes Gedicht ge-
lesen, Simonides.

Die Gäste. Herrlich — trefflich — des geist-
reichen Sängers von Ceos würdig —

Einige Parasiten. Wie des edlen Skopas.

Skopas (leise zu Simonides) Mach'
dir aber nur auf die Hälfte der versprochnen Summe Rechnung; denn du hast nur halb Wort gehalten.

Simonides (ohne ihm zu antworten
f. f.) Ich sehe, daß der Hausmeister ganz Wort
hält — schon schwankt jene obere Gallerie — zur

guten Stunde wurd' ich mit meiner Begeisrung fertig.

Skopas (wie vorhin) Warum theiltest du dein Loblied zwischen die Tindariden und mich? Laß' dir nur von ihnen die andre Hälfte entrichten. O sie sind grosmüthig, sie werden dich schon lohnen — Wie! du schweigst?

Simonides. Was soll ich dem ungerechten Sterblichen sagen, wenn ich auf die gerechte Halbgötter vertraue?

Skopas. Aecht poetisch unhöflich!

Simonides (f. s.) Du wirst mir bezahlen, Thessalier, — Wo nur der Sklave bleibt — das Wunder ist mit mir verlohren, werd' auch ich mit dem rohen Volk' erschlagen, und doch möcht' ich seine Früchte im Segen der Meinung aus milder Hand der Halbgötter ärndten.

Skopas. Nun die Tänzerinnen! die Musik! (halblaut) Des Versegeklingels hab' ich genug.

Simonides. Ha! das wächst! — Jezt — — (freudig) Da kömmt der Wunderbote.

Ein Sklave (eilig) Zwei wunderschöne

Jünglinge warten deiner, Simonides — sie wün=
schen dich sogleich zu sprechen.

Simonides (kalt) Ich wüßte nicht, daß....

Sklave. Eile! fliege! ich fürchte sie und doch
lieb'_ich sie auch; ein sonderbar Gefühl ergriff mich
bei ihrem Anblik mit schauerlich=hehrer Gewalt; ihr
Auge schien Himmelsfeuer zu strahlen, und götter=
ähnlich gebot ihre Stimme —

Simonides (verwundert scheinend)
Wol denn — Ich gehe — (entfernt sich)

Skopas (ihm nachrufend) Deine hohe
Gönner! — Was gilt die Wette, sie sinds? Wie
schnell, wie behend im Bezahlen! —Bring' sie doch
mit herein! unsere Gesellschaft ist ihrer; nicht un=
werth, und wir lesen ihnen das Gedicht noch ein=
mal vor. (Krachendes Getöse)

Die Gäste. Grose Götter! (die Dekke stürzt
verschüttend über den Wehklagenden
ein)

Simonides (nach einer Pause durch
die Thürspalte hereinblikkend) Erkennt
ihr das Werk geübter Hand?

XXXXV.

Bundeskraft.

„Gutes aus gutem, das kann jeder
der Verständige bilden,"
„Aber der Genius ruft Gutes aus
Schlechtem hervor."

(Der Nachahmer, V. 1-2)

Stilpo. Megara's Jugend verläßt dein Haus
nicht mehr!

Glizere. Dann theilt dieß bescheidne Haus, ohne
zu wissen wie, die Macht deines Hörsaals. —

Stilpo. Süßer Sirenengesang hält sie in deinen Hallen fest.

Glizere. Und die Weisheit, welche — wie
man sagt — du lehrest, lernte den Sirenengesang:
wer dich einmal hörte, will dich immer hören, und
alle übrige Filosofen sehn sich verlassen.

Stilpo. Du fändest also keine Verschieden-
heit — ?

Glizere. Zwischen uns? Nein!

Stilpo. Wie! Sinnlichkeit und lüsterner Genuß ———

Glizere. Hält falscher Klügelei und auftrotsnendem Sistemgeist die Wage.

Stilpo. Sind das Kinder der ächten Weisheit?

Glizere. Eben so wenig, als jene Kinder der ächten Freude sind.

Stilpo. Und diese?

Glizere. Such' ich aus der jugendlichen Ausgelassenheit zu entwikeln.

Stilpo. Du Bildnerin?

Glizere. Glaube mir, guter Stilpo, die Weisheit bedarf nicht grade des Filosofenmantels — Verehrt ihr nicht selbst die hohe Minerva als ihr Urbild?

Stilpo. Keine Eifersucht zwischen uns, Glizere, wenn dem so ist. Ich will aus den Dornen der falschen Spizfindigkeit die Blumen der Göttin erziehn.

Glizere. Dann gehn Schönheit und Wissen Hand in Hand, aus dem Uebel das Gute zu gewinnen.

Stilpo. Dem herſtellenden Genius ſei unſer Leben heilig!

Glizere. Das Band unſerer Freundſchaft knüpfend, ſchmük' er den Bund mit ſüſer Frucht der Veredlung!

———————

XXXXVI.

Olimpiſche Träume.

„Weil du lieſeſt in ihr, was du ſelber
in ſie geſchrieben,‟

„Weil du in Gruppen für's Aug ihre
Erſcheinungen reih'ſt,‟

„Deine Schnüre gezogen auf ihrem
unendlichen Felde,‟

„Wähnſt du, es faſſe dein Geiſt
ahnend die groſe Natur?‟

(Menſchliches Wiſſen. V. 1 - 4)

Demokrit, (beim Eintritt in ſein Gemach eine Rolle zuſammen wikkelnd)
Guter Diakosmus, leg' dich nur wieder zu deinen
Brüdern; für Abdera haſt du deine Rolle ausge-
ſpielt. Die gute Herrn wiſſen nun, warum ich
von hundert Talenten fünf und neunzig verreiſt
habe, und an Erſtaunen über den gelehrten Lands-

nann so reich als verschwenderisch vergessen sie, daß sie mich als übeln Haushälter. beschimpfen wollten. Ihre Selbstsucht erlaubt mir gnädig, zu ihrer Ehre arm und weise zu sein. Brave, wakkere Leute, die Abderiten!

Demochares. Wie siegreich du aus dem Kampfe giengst, lieber Vetter.

Demokrit. Fängst du nun auch zu glauben an, daß meines Vaters Fest gut bei dem grosen König angelegt war? Hätte Xerxes nicht lekker an seiner Tafel geschmaußt, so wären mir die Magier nicht als Hebammen meines Geistes geblieben.

Demochares. Ich bekenne laut mein Unrecht; gieng mir doch der löbliche Rath mit gutem Beispiel vor. Du bist ein groser Mann.

Demokrit. (lächelnd.) Ein Atom im leeren Raume, das weiß ich, dank meinem Lehrer Leusippus.

Demochares. Du hast die hohe Ordnung der Natur erforscht, und aus ihr selbst ihre Geseze hervorrufend, sie uns vor Augen gestellt,

Demokrit. Meinſt du, lieber Demochares?
Nun, laß' uns nur zuſammen fortrollen, vielleicht
kömmt auch etwas Gutes dabei heraus!

Demochares. Du biſt der Dollmetſcher des
Univerſums.

Demokrit. Ich hab' eine geheime Ahnung,
daß ich hundert Jahre und drüber alt werde —
Zeit genug, noch manche Silbe in dem ungeheuren
Buche zu leſen und auszuſprechen: ihr werdet
mich anhören. —

Demochares. Anſtaunen, wie heute!

Demokrit. Ganz recht! mir eine zeitlang nach'
ſprechen —

Demochares. Dir ſtumm zuhorchen —

Demokrit. Auch recht! zuletzt Langeweile
haben —

Demochares. Das verhüten die Götter zu
Abdera's Ehre. —

Demokrit. Ihr müßt ihnen aber dazu helfen.
Dann werdet ihr mir Langeweile machen, ich werde mich vom jetzigen Lächeln zum erquickenden Lachen wenden, ein wenig für närriſch gelten. —

Demochares. Bei der Latona! unmöglich ist das!

Demokrit. Lange nicht so unmöglich als die Verwandlung der heiligen Latona selbst in eine Wachtel.

Demochares (zurükfahrend) Läsire nicht!

Demokrit (lachend) Siehst du? In diesem Augenblicke sezt sich das Atom deines Glaubens an meine Verrüktheit, dir selbst unbewußt, in deinem Innern fest, und ich sehe dich schon unter der Zahl derer, welche den grosen Hippokrates für mich verschreiben.

Demochares. Du hast dich selbst zum Besten. —

Demokrit. Immer besser, als wenn ich mich, mit euch allen, für so gar ausserordentlich gut hielte.

Demochares. Möchte dir doch die Gabe der Vorhersehung lieber zuflüstern, was ich von dir zu begehren komme!

Demokrit. Und wer sagt dir, daß sie es nicht schon gethan? — aber du liebst, wie alle treuen Söhne Abdera's, das bequeme Echo deiner innern Gedanken. Das Vergnügen kann ich dir machen.

Demochares (begierig) Nun?

Demokrit. Du darfst ganz ruhig auf den Fußsohlen stehn bleiben; glaube mir, alles Aufrecken, und wenn du deine arme Zehen noch hundertmal mehr quältest, macht dich nicht groß genug, dein armseelig Richtscheid an die Riesin Natur zu legen.

Demochares. Hm!

Demokrit. Du erröthest! das freut mich; dafür soll auch dein Geist übrig bleiben und sich freuen, wenn mein Körper aufgehört hat.

Demochares. Lehre mich die Natur kennen und fassen gleich dir.

Demokrit. Wie steht es mit deinen Augen? willst du Talente daran wagen? Glaube mir, ehrlicher Vetter, die Schnüre, welche du auf der kolossalischen Flur ziehen möchtest, fordern kostbare Vergoldung, und doch — beschwört kein Gold den unendlichen Geist, welcher in ihr haußt.

Demochares. An deiner Hand werd' ich sein heiliges Sausen vernehmen.

Dmokrit. Auch ahnend verstehn?

Demochares. Ich hoff' es.

Abgeordnete des Rathes (treten ein) Weiser Demokrit! Abdera, das in dir sich hochgeehrt fühlt —

Demokrit (leise zu Demochares) Hoffnungszunder!

Abgeordnete. Hat beschlossen —

Demokrit (lächelnd) Geehrte Herren! einer nach dem andern, ich bitte —

Erster Abgeordneter. Dir fünfhundert Talente zum Geschenk zu überreichen —

Demochares. Alle Götter!

Demokrit (zu ihm leise) Die Hälfte davon ist dein, mein guter Vetter und Jünger. — Nun wird dein Studium blühen!

Zweiter Abgeordneter. Dir öffentliche Bildsäulen zu errichten —

Demokrit. Das ist mir lieb für ihre Verfertiger.

Dritter Abgeordneter. Und dich auf Kos
sten der Stadt zu beerdigen.

Demokrit (lachend) Das hat noch Zeit,
will ich hoffen?

Demochares. O so wurde noch kein Sterbli=
cher geehrt!

Demokrit. Doch schon mehr als ein Gestor=
bener. — Ich dank' euch und der Stadt, lieben
Freunde und Landsleute, von ganzem Herzen. Ge=
habt euch wohl. (Die Abgeordnete gehn)

Demochares (zutraulich) Wann darf
ich die zweihundert fünfzig Talente abholen?

Demokrit (geheimnißvoll) Sobald ich
die fünfhundert habe. — Lebe wohl. (Democha=
res geht. Ihm nachsehend) Sandkörner
unter den Heroenschritten der Natur! und die wol=
len sie messen. (Nach einer Pause.) Gute
Götter! wäre sie nicht so herrlich aus euren Hän=
den hervorgegangen, wahrlich! ich würde mich
blenden — nicht um ungestöhrter zu denken, aber
wol, um diese Pigmäen nicht mehr zu schauen,

die auf dem Herkules herumfrabbeln, und sich groß
dünken, wenn sie an einem Löwenhaar die Löwen-
haut errathen, die den Halbgott umgiebt. O meine olimpischen Träume! gebt mir Sinnes-Nahrung
und Thoren-Spott.

XXXXVII.

Helden = Orakel.

„Willst du Freund, die erhabenste Höhe
der Weisheit erfliegen,"

„Wag es auf die Gefahr, daß
dich die Klugheit verlacht."

(Weisheit u. Klugheit. V. 1—2)

Herkules. Woher so unvermuthet, Freund
Merkur?

Merkur. Du wunderst dich, mich im Vorhof
des Orakeltempels zu begegnen; aber von dem
schnell beschwingten Boten in Jupiters Vorzimmer sollte dich nichts überraschen.

Herkules. Und solltest du geistvoller Bote des
Donnerers, Ueberraschung bei dem Zevssprossen vor-
aussetzen, der schon in der Wiege mit Schlangen
so schnelle Bekanntschaft machte? Freude war es
was mir dein Anblik einflößte.

Merkur. Da nimm meine Hand zum Danke! Nun freut auch Maja's Sohn sich, daß deine Stimmung seinem Auftrage so freundlich begegnet.

Herkules. Dein Auftrag kömmt von Vater Jupiter?

Merkur. Errathen! von dem armen geplagten Blizzender, vor dem alles zittert, indeß er sich vor seiner Juno — fürchten muß. Wär' erst sein Aug' vor ihr sicher, wie würd' er vollends da seine mit den Augbraunen erschütternde Arbeit betreiben.

Herkules. Dann glaub' ich, wäre der gute Vater zu froher Laune, um den Sterblichen schlimmes Spiel zu machen.

Merkur. Du willst das Orakel um dein künftig Loos befragen. —

Herkules. Den Weg zur Unsterblichkeit will ich wandeln, Apoll soll mir sagen, was meiner wartet.

Merkur. Apoll ist dir von Herzen gut, doch wie du weißt, ist sein Orakel nur Sprachrohr des Schiksals.

Herkules Und mein Ohr auf des Schiksals Aussprüche gefaßt: nur wissen will ich sie.

Merkur. Dich vorzubereiten, komm' ich.

Herkules (die Hand auf der Brust) Ich bin's — laß uns gehn!

Merkur (ihn zurükhaltend.) Nicht so hastig — du suchst Unsterblichkeit!

Herkules. Den Olimp durch sie! den Siz als Gott bei Göttern!

Merkur. Der Sterblichen Spott harrt deiner. —

Herkules. Ich steig' auf ihren Schultern zu den Unsterblichen.

Merkur. Ja diese erst! — sie verfolgen dich, und die andern bedauren dich und sehn zu.

Herkules. Ich fühle das Unsterbliche in mir.

Merkur. Ganz recht — eben darum —: der dumme Amfitrio — — —

Herkules. Fürchtet mich; das ist mir lieb, denn so wurd' ich seiner los.

Mer.

Merkur. Er schift dich zu dem schwachen Eu=
ristheus, welcher durch die List der Ur= Xantippe
Juno dir die Herrschaft über Perseus Geschlecht
stahl.

Herkules. Dafür schwur mir Zevs die Göt=
terwürde zu; ich bin reich belohnt, und erwerbe sie.

Merkur. Aber — aber — die olimpische Un=
sterblichkeit hat ihre böse Klausel. Es ist nun schon
einmal das Loos irdischer Thätigkeit, von irdi=
scher Beschränktheit umfaßt zu werden, wie eine
hübsche Nimfe vom häßlichen Ziegenfüßler Pan.

Herkules. Ich suche das Orakel, wenn du
die Vorrede nicht endest. Bist du doch sonst so
schnell — vergiß es nicht zu sein, und mich stark
zu wissen.

Merkur. Deine Gröse entblüht im Dienst
des kleinen Euristheus.

Herkules. Ich seh' über ihn weg nach dem
hohen Olimp.

Merkur. Den Untergang wird der Kleine
dem Grosen bereiten.

I@

Herkules. Den Sieg fühl' ich im verbürgen=
den Busen.

Merkur. Der Löwe mit der undurchbringli=
chen Haut sperrt den Rachen gegen dich auf, die
Hider zischt dir mit hundert Giftzungen Tod zu,
aus dem erimantischen Gebirge wüthet der Eber
nach deiner Brust.

Herkules (auf seine Faust blickend)
Euristheus soll vor der Macht des Gehorsams be=
ben!

Merkur. Ich sehe den goldastigen Hirsch, aus
grausen Sümpfen hör' ich die Stimfaliden heulen,
um die Amazone blizt das Wehrgehäng!

Herkules (begeistert) Euristheus schlägt
die von Trofäen geblendete Augen nieder.

Merkur. Woher Hilfe gegen deinen schmuzi=
gen Reichthum, Augias? Ha! Feuer flammt der
Stier Neptuns, und die Rosse wiehern über Men=
schenfleisch.

Herkules. Alfeus und Rache!

Merkur. Die Töchter der Nacht wachen bei
goldnen Aepfeln, die reiche Heerden hüthet der

dreiköpfige Wüthrich, der Höllenhund brüllt dem Licht' entgegen.

Herkules. Dem Helden Freiheit! dem Euristheus die Giftwurzel!

Merkur. Alkmenide!

Herkules. Jupiters Sohn! — Fort! zum Orakel!

Merkur (die Hand auf seine Schulter legend) In deinem Innern sprach es — Apolls Stimme sagt dir nichts Neues, und du bedarfst ihrer nicht!

Herkules. Auf denn! gen Mizene! — Gehab dich wohl Merkur!

Merkur. (ihm nachblikend) Gebirge wirst du spalten, und sie zu Säulen der Erde machen — du selbst bist des Olimps Säule!

—————————

10 *

XXXXVIII.

Bellerofons Sturz.

„Warum will sich Geschmack und Ge-
nie so selten vereinen?"

„Jener fürchtet die Kraft, dieses verachtet den Zaum."

(Die schwere Verbindung)

Der heulende Sturmwind Tifaon hatte die schrek-
lich-schöne Drachennimfe Echidna umarmt, und
feuersprühend begrüßte die scheußliche Chimära die
Welt. Die Löwenaugen rollend, ringelte sie den
SchlangenSchweif über den Ziegenleib, und rief:
Mein ist das Reich der Gedanken; dient mir, ihr
Söhne des Geists oder zittert.

Die Söhne des Geists verschwanden, in Nacht
versank der erhabne Geist selbst, das Ungeheuer
bewachte sein düster Gefängniß, und nur Sklaven
der Nacht krochen um seine Spuren.

Umsonst hatte der weise Sisifus die Götter des
Orkus belistet, den gefangenen Geist wollte er

befreien, dem unterirdischen Dunkel den Sieg abgewinnen; ach, umsonst! die verborgnen Mächte ergriffen ihn, und ewig wälzt der Büser den ewig rollenden Stein.

Aber Bellerofon weihte sich von neuem dem erhabnen Werk des unterliegenden Ahnherrn. Neptun blikt' aus dem Fluthenschoos mit Wolgefallen auf den heldenmüthigen Heldensohn. Nimm dieß edle Kampfroß! sprach er, und Pegasus wieherte in stolzem Vermögen dem neuen Führer; nimm Zügel und Waffen, sprach die hohe Minerva, vom Olimp zu dem Heldensohn herabsinkend. Die Hand der Weisheit zügelte Helikons Roß, und die bleierne Lanze schwankte in der starken Hand dem Ungeheuer Tod entgegen. Die wilde Flamme des verderbenden Rachens bereitete diesem den eignen Untergang; das schmelzende Blei befreite die schöne Welt, den gefesselten Geist.

Die Söhne des Lichts kamen zurük: jubelnd sammelten sie sich um den rettenden Befreier; Pegasus trug frohlokend auf stolzem Rüken den Helden.

222

Zum hohen Olimp empor, edles Roß; Siegesge=
noffe, schwinge dich mit mir zu dem Siz der Un=
sterblichkeit! so rief zulezt der von Begisterung trunk=
ne Bellerofon.

Sie flogen, sie schwebten. Siehe! schon schwebt
auch sie heran, die Bothin des Götterzorns! Sen=
ke dich wieder zur Erde, kühner Erdensohn! dein
Loos ist dir auf i h r e n Höhen beschieden. Um=
sonst! er fliegt, er schwebt. Die ungeheuere
Bremse kreißt näher und immer näher, jezt erreicht
sie den Schöpfer der Hippokrene, jezt — der Stich
ist vollbracht. Das neptunische Roß wüthet, es
steigt, es bäumt sich — zur Erde stürzt der Held'
in die Wüste sinkt er erblindend, in Dornen
verschmachtet er!

XXXXIX.

Innere Glorie.

„Höh're Preise stärkten da den Ringer"
„Auf der Tugend arbeitvoller Bahn,"
„Großer Thaten herrliche Vollbringer"
„Klimmten zu den Seligen hinan"
(Die Götter Griechenlandes. Str. 11. V. 1-4)

Karantides. Werthester Herr, Alexander vermag dir seinen Dank nicht so warm auszudrüken, als er ihn fühlt.

Fozion. Mein Vaterland blieb ruhig.

Karantides. Dein Rath kehrte seine Waffen gegen die Perser — er ist gros und in Eroberungen reich.

Fozion. Mein Vaterland behielt den Frieden.

Karantides. Den er zu bedrohen aufhörte, als du ihm den edlern, grösern Lorber zeigtest. Darum erschein' ich als Dolmetscher seiner Gefühle.

Fozion. Athen vereint die meinen.

Karantides. Hundert Talente bring' ich dir in seinem Namen.

Fozion. Behalte sie.

Karantides. Nimm das schwache Merk= mal königlicher Dankbarkeit — verschmäh' es nicht.

Fozion. Ich bedarf dessen nicht.

Karantides. Thu' Gutes damit.

Fozion. Dazu will ich sie ihm lassen.

Karantides. So lasse dir die Wahl unter vier Städten gefallen, die er dir freistellt.

Fozion. Athen ist meine Vaterstadt — einer unterworfnen bedarf sein freier Bürger nicht.

Karantides. Aber — —du betrübst den Geber — den zu geben Wünschenden.

Fozion. Alexander lasse mich dagegen —

Karantides (begierig) Was befiehlst du?

Fozion. Vier Gefangenen aus der Zitadelle zu Sardes die Freiheit wünschen.

Karantides (betroffen) Sonst nichts?

Fozion (ernst) Die Freiheit!!

Karantides. Sie wurde ihnen, da du wünschtest.

Fozion. Dank' ihm — lebe wol.

L.

Der Triumf Aller.

„Majestät der Menschennatur! dich
soll ich beim Haufen"
„Suchen? Bei wenigen nur hast du
von jeher gewohnt.'"
„Einzelne wenige zählen, die übrige
alle sind blinde"
„Nieten, ihr leeres Gewühl hüllet die
Treffer nur ein."
(Majestas Populi)

Eine Schaar Der hohe Kadmus ist unser Ahnherr — Platz da!

Die Thessalier. Zurük! ehrt die Abkömmlinge Deukalions!

Die Athener. Wie! vergeßt ihr, daß Zekrops uns früher gründete?

Die Epasiden. Verschwindet Spätlinge, vor
dem Geschlecht des göttergleichen Inachus!

Die Böozier. Und Ogiges! an dem grauen Alterthum unserer Herkunft blikt alles schwindelnd hinauf!

Die Titaniden. Prometheus und der Götterfunke! nieder vor uns, ihr andern ohne Ausnahme.

Die Kadmeiden. Minerva schuf uns aus der Drachensaat des Helden!

Die Thessalier. Apoll rief uns durch sein Orakel in's Dasein.

Die Athener. Neptun und Minerva begannen um uns den göttlichen Streit.

Die Epafiden. Der grose Zevs selbst erzeugt uns.

Die Böozier. Aus einer Kuh! aber seine Tochter Thebe gab er dem Herrscher Ogiges, und der heilige Eleusinus wurde ihr Sohn.

Die Titaniden. Unsere Väter thürmten die Welt gegen den Olimp auf, und lehrten Jupitern zittern.

Alle. Vater! Vater! sieh auf uns herab — schüze deine Söhne!

Die Kadmeiden. Du heldenmüthiger Kadmus, lebst das ewige Leben der weisen Schlange
mit unserer Mutter Hermione! O komm', und
triff diese Verrächter!

Die Thessalier. Die Gebeine der Mutter
wurden fruchtbar in deinen und Pirrhas heiligen-
den Händen, o Deukalion — sende sie uns zu Waffen, o erschein' uns waffnend in unsrer Mitte!

Die Athener. Unter den Sternen glänzest
du, Zekrops — geuß die himmlische Wasser über
deine Verräther!

Die Epafiden. Die geweihte Kureten erzogen dich, hehrer Epafus, wie sie einst den Vater
der Götter auf Kreta erzogen. Flehe zu ihm, auch
deinem Vater; er leiht dir seinen Blitz, du ver-
tilgst diese, deine und unsere Lästerer.

Die Böozier. In deine Hände legten die
Götter ihre geheimnißvolle Heiligthümer, Ogiges:
Heil dir, und Segen uns, und Rache beiden!

Die Titaniden. Den Starken befreite der
Starke; Menschen bildetest du Prometheus, und
Herkules errang sich den Göttersitz; wir rufen dein
Beispiel an!

Alle. Sieh herab auf uns Vater! herab! schüze dein Geschlecht!

(Geräusch von oben; sie sehn begierig aufwärts.)

Alle (jubelnd) Sie kommen! sie kommen!
(Einander wechselseitig dräuend) Nun
wartet! wir eilen Rache zu nehmen!

(Getös unter der Erde; alle fahren
mit Entsezen zurük.)

Alle (schreiend) Weh! weh uns! die Erde
bebt!

(Donner und Bliz; vom Olimp fahren Komus und Momus in Mitte
der Schaaren nieder, aus der Erde
strekt Atlas das Haupt)

Alle (erstarrt) Ihr Götter!

Atlas (mürrisch) Wollt ihr nimmer aufhören,
mir die Erdenlast noch schwerer durch eure Thorheit zu machen?

Die Titaniden (sich ermannend) Ha!
grofer Altvater! du erscheinst, und unsere gerechte
Sache siegt.

Momus (ſie mit der Müze zur Ru⸗
he weiſend) Schweigt! ſchweigt — der kräch⸗
zende Alte hat Kummer genug — ſäh' er euch
erſt, er würde verzweifeln, und die haltloſe Erde
rollte in's Nichts!

Komus. Seht ihr meine Blumen, ihr närriſch
Geſindel? Kommt, folgt mir zum Mahle; glühn
ſollen vom Feuerwein eure Wangen, wie die mei⸗
nige, die Fakel kehr' ich aufwärts, daß unſere
nächtlichen Feſte länger dauren, aber die Lanze
dreh' ich abwärts, zum Verſöhnungszeichen.

Alle. Unſere Ahnherrn wollen wir! unſere
Väter!

Momus. Sie ſtehn eurer Laune nur ſo zu
Gebote! Schafft Prometheus gleich, baut mit
Eleuſinus heilige Städte, herrſcht wie Agenor,
kämpft mit Theſeus, werdet Heldenväter wie Aeo⸗
lus und ſingt wie Amfion — dann werden die ho⸗
he Ahnherrn euch umſchweben, und den verjün⸗
genden Helden ⸗ Söhnen heiligen Beifall zuflü⸗
ſtern.

Alle. Luftprofet! Thatenträumer! der Ahnen Glanz ruht auf uns — die Väter wollen wir sehn — ihren Ruhm sollen sie in uns schüzen. — Wozu deine Hirngespinnste? Wir wollen sie anbeten und des Lebens geniesen.

Komus. So kommt mit mir! Weht euch nicht süser Tafelduft entgegen? Hört ihr die zarten Flötentöne? Horcht! der reizende Gesang holder Mädchen ladet euch zum Feste. (Er schwebt mit aufwärts gekehrter Fakel voran)

Alle (nach und nach ihm folgend) Die Väter senden uns Freude — Fort! zum Feste, fort.

Momus. Die brauchen kein Fenster in der Brust! (schleicht ihnen nach)

Atlas (unwillig sein Haupt zurükziehend) Und werden nie Welten tragen!

———————————

LI.

Einzel = Pfad.

„Kannst du nicht allen gefallen durch
deine That und dein Kunstwerk,"
„Mach' es wenigen recht, vielen
gefallen ist schlimm."

(Wahl)

Sir Richard. Und die ganze Nazion vergöt:
tert Sie!

Lord Kamden. Ich liebe sie, aber die Pflicht
mehr.

S. Richard. Dreißig Jahre ehrt Sie das Va:
terland in der hohen Würde des Oberrichters.

L. Kamden (die Hand auf der Brust)
Auch hier wohnt eine — — heiligere Würde.

S. Richard. Der Schuzgott der Gerechtigkeit
wollte — — ?

L. Kamden. Selbst Göttin ist diese, gerecht
bleiben will ich selbst.

S. Richard Wem übergab die Stadt London dankbar ihr Bürgerrecht — ?

L. Kamden (ernst) „Dem Bewahrer der Brittenfreiheit durch's Gesez" —

S. Richard. Aber die Amerikaner — —

L. Kamden. Sind Menschen und Mitbürger —

S. Richard. Alles glüht wider die Hartnäsige — Kamdens Widerspruch gegen die Taxen raubt ihm Stelle und AltEnglands Lieb' und Vertrauen.

L. Kamden. Meine Stelle — (fest) meine wahre, beste ist das Vertrauen anf mich, und nur die Liebe der wenigen Unwandelbaren mir ein Gut.

Ein Staatsbote (ein Papier übergebend) Milord! Sie sind entlassen.

L. Kamden (froh, himmelwärts) Der eignen Freiheit durch das Rechte Bewahrer!

———————

LII.

Der Grazienpriester.

„Aufgelößt in zarter Wechselliebe,"
„In der Anmuth freiem Bund ver-
eint,"
„Ruhen hier die ausgeföhnten Triebe,"
„Und verschwunden ist der Feind."

(Das Ideal und das Leben. Nr. 7. V. 7 - 10)

Der kaum gebohrne Merkur hatte Apolls Rinder
von den duftenden Weiden der piräischen Gebirge
mit listiger Behendigkeit entfremdet; die Laute im
Arm schlummert er schon wieder in der heimatli-
chen Wiege. Sanfte Unschuld sprach aus dem blühenden Knabengesicht, leise berührten die Rosenfin-
ger die schweigende Saiten, und verstohlen mischs-
ten sich, gleich Götterhauchen, leise Klänge mit den
Odemzügen des schlafenden Göttersohns.

Da kam der zürnende Apoll zur Wiege und forderte
den Raub mit gebieterischer Stimme. In die Ab-

gründe der ewigen Nacht schleuder' ich dich, heuch=
lerischer Schalk! rief er, wenn du nicht erstattest!
Maja's Sohn lächelte heimlich, indessen die schö=
ne Mutter ängstlich zu dem Geliebten, dem hohen
Herrn des Olimps und der Erde floh, und lieb=
kosend um Hilfe für das Pfand der süsen Stunde
in der verschwiegnen Grotte bat.

Bei dem Haupte meines Vaters Zevs! ich habe
deine Rinder nicht! flüsterte Merkur aus dem Schoos
des Knabenlagers zu dem zürnenden Sonnengott
hinauf.

Apoll faßt' ihn mächtig bei der kleinen Hand.
Folge mir, rief er, zu ihm dem Haupt' der Göt=
ter und Menschen; er entscheide zwischen uns.
Der niedliche Dieb fühlte sich von der Macht fort=
gezogen, er mußte folgen.

Maja trat den Eilenden in den Weg. Jupiter
sendet mich, sprach sie, er hat einen Schiedsrichter
erwählt, ich soll euch zu ihm geleiten. Sie schlüpf=
te leicht wie der Zefir des Monats, welchem sie den
Namen gab, auf dem Blumenpfade voraus, die
zwistige Götter folgten ihr, leise lächelnd Merkur,

mit dem Feuerauge den kleinen Gefangnen hüthend Apoll.

Bald nahten die eilende Drei dem schönen Ado‑ nis. Zögling der Nimfen, sprach Maja zu ihm, holder Günstling des hohen Zevs, der lieblichen Zithere'a und Proserpinens der Ernsten, uns sen‑ det Jupiter, daß du zwischen den Streitenden hier den Ausspruch in seinem Namen vollziehest.

Mirrha's blühender Sohn stüzte sich auf den Bo‑ gen in seiner Hand, und horchte der Klage des noch immer zürnenden Apolls. Im Hintergrund lauschte Venus, mit den holden Grazien in Rosen‑ büschen verborgen. Himmelsduft wallte aus den lispelnden Büschen zu ihm hin, sanft tönte der Tauben Ruf, und milde Begeisterung schwebte auf Blüthenhauchen über dem horchenden Schieds‑ richter.

Apoll hatte geendet. Und du? fragte Adonis den lächelnden Götterknaben, dessen zartes Gebild kindliche Gewänder leicht umhüllten. Wie! du, kaum entfaltete Knospe des Daseins, du schuldig!

Wie von ohngefähr glitt Merkurs kleine Hand
über die Laute; aus der Höhle der Schale, die er
am Mittag seines Geburtstags der Schildkröte
nahm, quoll der himmlische Laut der seufzenden
Saiten mit süßer Gewalt hervor. Apoll staunte;
von unnennbarer Wonne überwältigt floh der Zorn
aus der Götterbrust; mit strahlendem Aug' und
umfassenden Armen senkt' er sich zu dem Knaben
herab. Was vernehm ich? rief er — woher dieser
zauberische Wohllaut?

Mein Werk! flüsterte Maja's Sohn.

Venus und die Grazien waren jezt um den Richter unsichtbar vereint, ihre Weihe war über ihn
gekommen. Gieb, sprach er, die Laute dem Apoll.

Freundlich gab sie Merkur dem Gott des Gesangs.
Schwöre mir bei dem Stix, rief der entzückte
Apoll, daß sie ewig mein sei!

Ich schwöre, versezte der keimende Götterbothe.

Und du, sprach Adonis, sich sanft zu Apoll wen-
dend, gieb dem lieblichen Knaben für sein Geschenk

den goldnen Stab, welcher allen Zwist in milden Frieden verwandelt.

Freundlich gab ihn Apoll dem Gott der behenden Klugheit. Ich schwöre dir, rief er, bei dem Stix, ewig sei er dein!

Des Eides bedurft' ich nicht, erwiederte der immer lächelnde Merkur: ich halt' ihn fest. Versöhnt schieden die Götter.

Im Scheiden hielt sie die Silberstimme der Venus zurük, welche samt ihren Begleiterinnen, den Grazien, sichtbar geworden, mit einem Kranz weisser Rosen den blühenden Schiedsrichter krönte, und ihm die zweite Laute, den zweiten goldnen Stab reichte. — Neidet ihm nicht, ihr Olimpier, sagte sie hold erröthend, was ihr besizt: Den Streit schlichtete er eure Gaben austauschend! dem Gott des Schönen gab er des Sinns Erfindung, die Schöpfung des Schönen dem Gott des Sinnes; auf ewig verschwistert' er die ewige Stüzen des höhern Daseins. Vereint werde der vereinzelte

Schaz sein Eigenthum; ich weih' ihn zum Priester
der Grazien, und alle, die gleich ihm des Menschen
Stärke dem Schönen und dem Sinn' heiligen, sei=
en gleich ihm, der Grazien Priester!

Anmerkungen.

I.

Damofon von Meſſene,. lebte gegen Ende des vierten Jahrhunderts vor Anfang der kriſtlichen Zeitrechnung. Sein durch mehrere Meiſterſtüke befeſtigter Ruf veranlaßte den Auftrag, das groſe Werk des Fidias, den olimpiſchen Jupiter, welcher an ſeinen Verzierungen manches durch die Unbilſ den der Zeit gelitten, wieder herzuſtellen. Er vollzog ihn mit allgemeinem Beifall und Danke.

II.

Markus Manlius Kapitolinus erwarb ſich dieſen Beinamen, als er im Jahre 390. vor der kriſtl. Zeitrechnung das Kapitol rettete. Seine Plane, welche von einigen patriotiſch , von andern ſtaatsverderblich genannt werden, erregten wenigſtens in ihren Folgen groſe Gährungen in Rom, und zogen ſeinen Untergang nach ſich. Die Verſ

legung der Volksversammlung an einen andern
Plaz entschied wirklich die Verurtheiluug.

III.

Vesta galt den Alten als Simbol der alles be=
lebenden Natur. Der ältern Vesta , war die
Würde, welche auf der Gattin des Uranos ruhte;
der jüngern das wohlthätige Feuer, die reis
fende Naturwärme , und die Flamme auf dem
heiligen Heerd' eigner; auch ihr die Vorhalle des
Hauses heilig, welche daher Vestibulum hieß. Die
vestalische Jungfrauen, sechs an der Zahl, wurden
vom Volk' erwählt, und durften bey ihrer Erwäh=
lung nicht über zehn Jahre alt sein ; sie mußten
den Dienst der Göttin zehn Jahre hindurch le r=
n e n, zehn Jahre a u s ü b e n, und zehn Jahre
l e h r e n; dann waren diese Nonnen des Alter=
thums frei, und durften sich vermählen: jede frü=
here Verlezung des Gelübdes wurde mit dem Gra=
be bestraft.

IV.

IV.

Danaus, des Belus und der Archinoe Sohn, wurde von seinem Bruder Aegiptus verdrängt, und verdrängte selbst den Gelanor aus Argos. Ein Wolf fiel eine Heerde an, und besiegte den sie schüzenden Stier; dies galt als Apolls Drakel, und entschied das unschlüssige Volk für Danaus; zum Dank baute ihm dieser einen Tempel, und gab ihm den Beinamen des likischen; (Wolfs-Apolls) Die Argiver lernten von Danaus Brunnen graben und Schiffe bauen. Ein anderes Drakel weissagte ihm, daß sein Tochtermann den Thron rauben werde. Als die fünfzig Söhne seines Bruders Aegiptus sich mit Danaus fünfzig Töchtern vermählten, erwürgten daher diese auf des Vaters Befehl ihre Männer; nur Hipermnestra rettete ihren Linzeus. Von diesem treuen Paare stammten Perseus und Herkules. Die Strafe der ihrem Vater zu gehorsamen Töchter ist bekannt. Gelanor begab sich in die Einsam-

15

keit, und konnte wenigstens ein froher Pflanzer und der Ahnherr des auch frohen, und ungern ge= tödten Pflanzers Abdolonimus sein.

VI.

Hugo Grozius, mit acht Jahren lateinischer Dichter, mit fünfzehn Polihistor, mit sechzehn in Barnevelds Gesandtschaftsgefolge, und von Heinrich IV. ausgezeichnet, mit vier und zwanzigen Gene= raladvokat in seinem Vaterlande, im sieben und dreissigsten zu lebenslänglicher Gefangenschaft ver= urtheilt, durch der Gattin Liebe gerettet, hatte in Frankreich Zuflucht, und von Ludwig XIII. eine Pension von tausend Thalern erhalten. Autors= Empfindlichkeit des Kardinals von Richelieu ent= zog ihm beides. Da ihn sein Vaterland zum zwei= tenmale verstieß, nahm ihn Schweden auf, und Oxenstierna schikte ihn als Staatsrath und Gesand= ten nach Frankreich zurük. Der Brief an seinen Vater ist buchstäblich wahr; seine Annalen kennt jeder Freund der Geschichte und des klassischen Stils. Bekannt ist Richelieus Liebhaberei, ver= kleidet umherzustreifen.

X.

Diana Aristobule — oder Diana vom besten Rath.

XIV.

John Donne, g. 1573. von mütterlicher Seite ein Nachkomme des grosen Thomas Morus, war einer der witzigsten Dichter Englands, und ein eben so treflicher Prediger. Jacob I. ernannte ihn zum Dechant der St. Paulskirche. Ausser vielen kleinen Gedichten schrieb er zwei gröfere Werke, den Pseudo-Martir und Biothanatos.

XV.

Kleobulina, Kleobulus Tochter, eine schöne und geistvolle Griechin, durch ihre vorzüglich in Aegipten bewunderte Räthsel berühmt, und des weisen Solons Freundin.

XVI.

Vulkan wurde von dem zornigen Jupiter auf die Insel Lemnos vom Olimp herabgeschleudert.

Die Lemnier fiengen ihn sorgfältig auf, und em
pfiengen ihn dann gastfreundlich. Zum Dank
erwählt' er ihre Insel zum Siz seiner Werkstätte.

XVII.

Damon, Dichter und Tonkünstler, Lehrer des
Perikles, Bildner der vornehmen Jugend, ein
Mann von seltnem Geist' und eben so grofer Men-
schenkenntniß als Gelehrsamkeit. Er bearbeitete
die Kunst des Wollautes, und seinen Einfluß auf
Sittlichkeit; der hier erzählte Zug beweißt die
Macht, welche er darauf gründete. Den Staatsmann verbarg er unter der Hülle des Künstlers,
und wurde doch ein Opfer des Ostrazismus.

XVIII.

Miguel Zervantes Saavedra, g. 1547. Zu Alkala de Henares in Neukastilien, verließ die Stu-
dien der Theologie und Arzneikunst um die Dicht-
kunst. Die frostige Aufnahme seiner ersten Versuche versezte ihn als Kammerdiener des Kardinals
Aquaviva nach Rom. Dort folgt' er bald Kolon-

na's Fahnen, verlohr in der Schlacht bey Lepante die linke Hand, dann seine Freiheit an einen algirischen Seeräuber. Sein edler Muth befreite ihn vom Tode, er wurde losgekauft, schrieb Werke für die Ewigkeit, und starb neun und sechzig Jahre alt, vor Hunger, weil der Minister Lerma in dem Donquixotte persönliche Satire auf sich zu finden glaubte. Alonzo Fernandes de Avellaneda war der von Lerma ermunterte erbärmliche Fortsezer des genialischen Werks, das Zervantes zulezt selbst noch, mitten unter Verfolgungen, beschloß.

XIX.

Tarquin der ältere, König von Rom, und Altius Nävius, ein berühmter Augur.

XXII.

Praxiteles lebte 364. Jahre vor der krißlichen Zeitrechnung; seine Werke waren treflich und un'zählbar. Unter die berühmtesten Erzeugnisse dieses antiken Kanova gehören sein Amor, sein Satir, der gute Ausgang und das gute Glük, die

lächelnde Hetäre und die weinende-Matrone. Die
Hetäre Phrine war ihm vertraute Freundin und
Geliebte.

XXIII.

Osiris, Saturns und der Rhea Sohn, König
von Aegipten, und Gemahl seiner Schwester Isis
wurde auf seinem wolthätigen Zuge, welcher den
Menschen Korn und Reben bauen lehrte, von sei=
nem Bruder Tifon ermordet. Isis sammelte den
in sechs und zwanzig Stücke getheilten Körper, bil=
dete an jeden ein Ganzes, nnd gab das Heiligthum
sechs und zwanzig verschiednen Priestern aufzubewah=
ren, deren jeder den ächten Körper zu besizen glaubte.

XXIV.

Der Grammatiker Aristarch aus Samothrazien,
der Kritiker Oberalter, verwarf alle Verse Homers,
die ihm nicht gefielen. Um der Wassersucht zu ent=
gehn, hungerte er sich zu Tode.

XXVI.

Karl Mordaunt Graf von Peterborough, ein
Karakter aus der alten biedern und tapfern Rit=

terzeit, eben so brav als flug, und nicht minder
unternehmend als ausdauernd, verdiente wol ei=
nen Dichter a u s der Wirklichkeit f ü r dieselbe zu
beschäftigen. Der hier dargestellte Zug seiner
Lebensgeschichte begab sich während des spanischen
Erbfolgekriegs.

XXVII.

Die Flöte, welche den armen Marsias berühmt
und — geschunden machte, war bekanntlich von der
weisen Minerva aus Verdruß über das Spottge=
lächter der Juno und Venus hinweggeworfen, und
von ihm gefunden worden.

XXVIII.

Der Stoiker Chrisipp, voll Eigenliebe und filoso=
fischer Schulfeinheit, war Evikurs Nebenbuhler so sehr,
daß er jede neue Schrift desselben sogleich auch mit ei=
nem neuen Buch verfolgte, um nicht minder frucht=
bar zu sein. Er starb wirflich des Todes, wel=
chen ihm Agathias hier wünscht.

XXX.

Marino, 1569. zu Neapel gebohren, kam mit dem päbstlichen Legaten, Kardinal Aldobrandini, nach Turin. Der Genueser Murtola hatte ein Gedicht, die Schöpfung der Welt, geschrieben, welches Marino in einem Spottgedichte, Murtolaide genannt, bitter geisselte. Dagegen erschien öffentlich Murtolas Marineide, und insgeheim ein den Gegner nur verwundender Pistolenschuß des beleidigten Dichters. Marino erwirkte seine Begnadigung; doch Murtola sagte später noch zu Pabst Paul V. „Ach ja ich habe leider g e f e h l t."

XXXII.

Ciocchi, Peter Dandini's Schüler, aus Florenz gebürtig, bildete sich nach den größten Meistern, und gab in der h. Luzia delle Rovinate — von einer Kirche so genannt — sein bestes Werk. Zulezt sezt' ihn die Abnahme seines Gesichtes ausser Stand, der Mahlerkunst ferner ausübend zu folgen, und er schrieb seine Pittura in Parnaso.

XXXIII.

Ate, die Uebel ſtiftende Göttin, diente Junos Haß gegen den Sohn ihres Gemahls von Alkmene, den ſie von dem ſchwachen Euriſtheus abhängig machte. — Likurg, des thraziſchen Königs Drias Sohn, verfolgte des Bacchus Ammen, daß ſie ihre Thirſen, von ſich warfen, und der erſchrokne Bacchus ſelbſt in das Meer ſprang, wo ihn Thetis aufnahm. — Jupiters Liebe zu Latona, Apolls Mutter von ihm, bewirkte der Juno Schwur, daß ihr die Erde keine Stelle zur Entbindung verſtatte. Da ließ Nep‑ tun die Inſel Delos entſtehn, wo Apoll und Diana gebohren wurden. Merkur hatte Apolls Rinder ent‑ wendet, und am Fluß Alfeus geopfert.

XXXVII.

Wahre Anekdote aus Flechiers Leben. Den ed‑ len Mann und groſen Redner kennt jederman, wenn er auch gerade nicht weis, daß er Biſchoff von Nimes war,

J

XXXVIII.

Johann LaBallüe, Bischoff von Evreur, dann von Angers, Kardinal und Ludwig XI. von Frank‹ reich Minister; stieg aus der Dunkelheit zu dieser Stelle , deren seine Talente nicht würdig , und seine Laster unwürdig waren. (Duclos) Das Glük machte seinen Geist trunken, er glaubte sich zu allem, am meisten aber zu dem berufen, was nicht seines Berufs war. Ungemein gern erschien er an der Truppen Spize ; daher erzählt man die hier dargestellte Szene auch auf eine andere Art von ihm und Dammartin. Seine Treulosigkeit gegen Ludwig XI. hatte zur Folge, daß er in ei‹ nen Eisenkäfig von acht Quadratfusen Umfang ein‹ gesperrt wurde, worin er zwölf Jahre verharren mußte. Ludwigs nahender Tod gab ihm die Frei‹ heit wieder; er wurde dem päbstlichen Legaten über‹ geben, und nach Ludwigs Ableben selbst Legat in Frankreich.

Joachim Rouault, Ludwig XI. als Daufins, erster Stallmeister, dann Marschall, wurde zulezt eines verrätherischen Einverständnisses mit dem Hause

Anjou, uud der Veruntreuung öffentlicher Gelder beschuldigt, und aus dem Reiche verbannt; er starb zwei Jahre nachher im Vaterlande.

XXXXI.

Abaris, aus Szithien, des hiperboräischen Apolls Oberpriester, von welchem er einen goldnen Pfeil zum Geschenk' erhalten haben wollte, der sein Luftroß sei. Nach einigen war er der trojanischen Belagerung, nach andern des Krösus Zeitgenosse.

XXXXII.

Nach einer von Chamfort aufbehaltenen Anekdote.

XXXXIV.

Simonides von Ceos, 480 J. vor der kristlichen Zeitrechnung, las dem Thessalier Skopas ein Lobgedicht, worinn zugleich der Dioskuren Kastor und Pollux gedacht wurde. Skopas nahm dies hoch genug auf, um dem Dichter die Hälfte der versprochnen Summe zu entziehen, und ihn damit an die himmlischen Zwillinge zu weisen. Denselben Abend wurde Simonides im Namen zweier Jünglinge abgerufen: er verlies den Saal, und fand niemanden, doch zugleich stürzte die Decke über Skopas und den Gästen ein.

XXXXV.

Stilpo von Megara besas die Kunst, mit unwiderstehlicher Beredsamkeit die Jünglinge an sich zu ziehn. Ein Streit mit der Hetäre Glizere brachte ihn zu dem festen Entschluß, die filosofische Schule der wahren, nicht der Scheinbildung des Geistes zu widmen.

XXXXVI.

Der Diakosmus, eines der vorzüglichsten Werke des von Reisen heimkehrenden Demokrit schüzte ihn vor der Prodigalitäts-Erklärung, mit welcher ihn die Väter seiner Vaterstadt bedenken wollten, und sezte diese so in Entzükken, daß sie ihm sogar die Ehre des freien Begräbnisses dekretirten. Xerxes hatte auf seinem berühmten Zuge nach Griechenland die Gastfreundschaft in dem Hause von

Demokrits Vater genoſſen, und aus Dankbarkeit eini=
ge Magier zum Unterricht' des Sohnes zurückgelaſſen.
— Eine Sage behauptete, Demokrit habe ſich ſelbſt
geblendet, um ſich dem Nachdenken deſto ungeſtöhr=
ter widmen zn können ; dies iſt von dem Manne
ſchwer zu glauben, welcher ſich ſo gut mit den
Thorheiten anderer zu unterhalten wußte.

XXXXVII.

Herkules, von Amfitrio zu dem Euriſtheus ge=
ſandt, befragte unterwegs das Orakel zu Delfos
über ſein künftiges Schikſal. Damals weiſſagte
ihm dieſes die zwölf Arbeiten welche er auf Euriſt=
heus Befehl vollziehn mußte, und die Unſterblich=
keit als ihren Lohn.

XXXXIX.

Bellerofon, eigentlich Hipponous, von dem er=
ſchlagenen Bellerus zugenannt, eine der ſchönſten
Geſtalten alter Dichtung, war Neptuns Sohn.

L.

Die Epafiden, Nachkömmlinge des Epafus, welcher Jupiters Sohn von der Jo war. — Eleusinus gab der Stadt Eleusis den Ursprung, welche wieder den berühmten Geheimnissen den Namen gab. — Kadmus wurde samt seiner Gattin Hermione zulezt in weise Schlangen verwandelt, nach den elisäischen Feldern versezt. — Das Orakel nante die Steine, welche Deukalions Wurf zu Menschen gestalten sollte, die Gebeine seiner Mutter. — Zekrops ist im Thierkreise der Wassermann. — Die Kureten, Priester der Zibele auf Kreta, erzogen den Jupiter und Epafus. — Komus, der Gott der Freude und des Genusses, besonders der Tafellust und des heitern geselligen Scherzes. — Momus, des Schlafes und der Nacht Sohn, der Gott der Satire, und des Olimps lustiger Rath. — Atlas, der Erde Träger. — Agenor, ein weiser König Föniziens, und des Kadmus Vater. — Die Fabel sagt, daß Momus an dem von Vulkan geschaffenen Menschen den Mangel eines Fensters in der Brust getadelt habe, weil nun das Herz verborgen bleibe.

LI.

Karl Pratt, Graf Kamden, Oberrichter, ein Mann
von hohem Seelenadel und würdigem Ruhme. Er
war es, welcher dem gesezwidrig verhafteten Wil-
kes das Habeas-Korpus bewilligte. Seine Verfas-
sungsliebe und treue Beschüzung der Gesezform
machten ihn der Nazion ehrwürdig und lieb. London gab ihm das Bürgerrecht, und schmükte Guild-
hall mit seinem Bildnis; die Inschrift sagte:
„Zur Ehre solchen Mannes, des Bewah-
rers der Brittenfreiheit durch das Gesez.‟ Dublin, Bath, Exeter, Norvich thaten dasselbe. Seine feste Erklärung gegen Amerikas Taxen
kostete ihm seine Stelle; aber später berief ihn das
öffentliche Vertrauen zweimal zur Oberstelle des ge-
heimen Rathes.

Wesentliche Verbesserungen.

Seite 13. Zeile 17 statt schwebt lies schweb'
— — 16. —— 16 —— Blumen , Pflanzen , l.
                    Blumen pflanzen
— — 75 —— 4 nach leise lasse aus zu
— — 97 —— 8 statt Sollach l. Sollah
— —115 —— — unter dem Titel ist beizusezen.
                    (Die Worte des Wahns. Str. 1.
                              V. 5 - 6)